KB103311

나비 편지

나비 편지

발 행 | 2024년 1월 8일
저 자 | 나비
펴낸이 | 한건희
펴낸곳 | 주식회사 부크크
출판사등록 | 2014.07.15.(제2014-16호)
주 소 | 서울특별시 금천구 가산디지털1로 119 SK트윈타워 A동 305호
전 화 | 1670-8316
이메일 | info@bookk.co.kr

ISBN | 979-11-410-6558-4

www.bookk.co.kr

나비
편지

나비 지음

묵은 마음의 변주(變奏)

나비[1]

찾아올 사람 잃은 내 마음 꽃밭에는 그 이후 비가 내리지 않았고, 졸졸 노래하던 여울도 바싹 말라 굵은 자갈을 드러냈다.

풀이 스러질 때 예쁜 꽃들도 함께 시들었고, 벌이 떠나자 나비도 찾지 않았다.

하지만, 매일 아침 또는 저녁이거나, 꿈속이거나 어쩌면 취중이라도, 그리움의 너울이 밀려와 나를 덮칠 때면 남몰래 그곳을 찾았다.

모두 다 시들고 떠난 밭에도 한 송이 꽃이 있어, 어깨 들썩이며 흐느끼는 나를 위로해 주고, 흘러내리는 내 눈물을 꽃잎으로 받아 갈증을 달래면서 홀로 견디고 있었기 때문이었다.

빗물 받아 단물을 만들던 꽃이 마구 시들 때, 단물 받아 마시던 나비들도 모두 떠났으나, 가장 미련한 나비 하나가 떠나지 않은 채 꽃잎에 고인 내 눈물을 갈라진 혀로 나누어 핥으며 죽은 듯이 살고 있었다는 것을 알게 된 건 바로 내 연인(戀人)이 20년 만에 날 찾아온 날이었다.

이미 멎은 줄 알았던 내 가슴이 설레었다.

---

[1] 10. 29. 우리 심장이 빨리 뛰었던 10. 14.

나비가 연인의 발자국 소리를 먼저 듣고는, 접어두었던 양날개를 펼쳐 심장 속에서 팔락거리기 시작했다.

나비는 사뿐히 날아올랐다.

연인의 뺨과 귀를 실크 스카프 같은 날개로 살짝 간지럽히고는, (견딜 수 없도록 귀여운) 그녀 단발머리 위에 머리핀처럼 잠시 머물다가, 나지막하고 예쁜 가슴 속으로 파고 들어갔다.

나비야. 나 대신 거기에 영원히 머물러 줘.

사랑받는 네 모습을 내가 늘 볼 수 있도록.

결혼사진[2]

 연모(戀慕)의 감정이란 것도 다른 감정과 마찬가지로 여러 가지 욕구와 욕망의 복합체인데, 상대를 독점(獨占)하려는 마음이 바탕을 이루고 있어서, 충족되기 너무 어렵답니다. 세상 하나밖에 없는 걸 혼자서 차지하기가 어디 쉽겠어요?

 충족되지 못한 소유욕은 실의 또는 질투로 바뀌고, 극단으로 치닫게 되면 자살 또는 살인에 이르죠.

 그래서 비극적 예술 상당수가 죽음에 관한 이야기를 다루고 있다고 생각해요.

 끓어오르는 본능이, 제도의 벽 앞에서 좌절하거나 관계의 틀에 갇혀 실현되지 못할 때, 그 엄청난 압력을 폭발시키듯 분출해서 자신 또는 관계를 파괴하는 대신 천천히 발산하여 해소(解消)하는 것.

 예술적 승화(昇華)라는 건 바로 그런 게 아닐까요.

 어느 누구라도 품어보았을 연모의 감정을, 일상에선 좀처럼 사용하지 않는 정제된 언어로 묘사하여 그 아름다움을 극대화시킨 후, 좌절되어 응어리진 상실감과 질투심을 청중들 눈앞에서 폭발시킴으로써 그들 마음속 압력을 해소해 주는

---

2) 10. 30. '턱시도 맞추는 가는데 함께 가서 봐 달라'는 내 갑작스런 부탁을 받고 찾아와 주었던 10. 29.

동시에, 격정이 폭발한 그 자리에 결국 무엇이 남게 되는지 냉정하게 목도(目睹)하게 하는 것. 이런 과정을 통해 실의와 질투와 분노를 달래고 결핍을 수용하게 하는 것. 그게 비극적 예술의 목적이자 존재가치일 거예요.

비극을 가장 잘 담아낼 수 있는 장르가 오페라라고 생각해요. 그렇지 않나요? 말씀하신 예브게니 오네긴은 엊저녁 설거지하며 해설을 들었고, 자면서 들었어요. 언제 잘 들어볼게요.

예쁜 단발머리 소녀를 연모했으나 가지지 못해서 실의와 질투에 빠졌던 소년이 있었답니다. 그래서 비극적 예술에 빠져 지내다가 어머나! 얼마 전 그 소녀를 만났대요.

우연히 커다란 거울 앞에서 잠깐 나란히 서게 되었는데, 소년 눈에는 '서로에게 속하는 의식'을 치르는 것 같은 모습처럼 비쳤대요.

소년은 그 모습을 영원히 기억하고 싶어 장난스럽게 "찰칵!"이라고 말하면서 눈을 깜빡였어요. 혼자 소꿉장난을 해 본 거죠.

소년은 생각했대요. "뭐... 잠깐 소꿉장난이면 어때. 어차피 인생도 짧은 꿈이라는데..."

혼자 돌아오는 거리엔 노랗고 발그레한 바람이 불고 있었습니다.

파리(Paris)이야기[3]

소년과 연인은 오래 전에 서로 좋아했던 적이 있었지만, 처음 만났던 날부터 헤어지던 날까지 함께 나누었던 시간은 길지 않았대요. 더욱이 중간에 길게 헤어졌다가 짧게 다시 만나기를 반복했다고 하니, 실제 함께 했던 시간은 아주 짧았던 거죠.

하지만 그 기억이 너무 좋았기에, 헤어져 있는 동안에는 '짧게 만났던 기억'을 곱씹어 달콤한 추억으로 발효(醱酵)시켰고요. 그래서 다시 만나게 되면 기쁨과 즐거움에 취(醉)한 것 같았대요. 만났다 헤어지고 그런 일이 반복되다가 결국 헤어졌어요.

짧게 나눈 인연이어서 더욱 안타까웠죠. 그런데 그 덕에 인연이 아주 길게 이어지는 드문 일이 벌어져요.

두 사람은 아무런 기약도 없이 헤어져 오랫동안 만나지 못했고, 그 사이 아픈 상처는 치유되었어요. 소년은 연인을 그리워했고 연인은 소년이 궁금했지만 서로 상

---

3) 11. 9. 우리 관계의 정체성에 대한 내 생각(11. 7. 너에게 '시인과 촌장'의 노래 '얼음무지개' 링크를 보내주면서, "난 착하게 살며 무지개를 쫓다가 다리가 부러진 소년이고, 너는 날 찾아와 위로하며 함께 기도하는 작은 새이고, 그렇게 어려움을 함께 견디다보면 어느새 우리가 무지개가 되어 있을 거야"라는 톡을 보내고 나서, '예쁜 말'이라는 너의 말을 들은 후)

9

대방에게 간섭(干涉)하지 않으려고 마음을 감추고 살았대요.

소년은 연인과 영영 남이 될까, 연인이 자신을 잊을까 두려워 가끔씩은 소식을 전했어요. 빛바랜 편지를 우연히 발견하고 지난 추억이 떠올라 짧은 안부를 묻기 위해 연락한 것처럼 아주 가끔씩, 최대한 무덤덤한 척하며 소식을 전했던 거죠. 그렇게라도 인연을 유지해두어야 나중에 나이 들어서, 둘이 남자도 여자도 아니게 되었을 때라도 다시 만날 수 있다고 생각했던 거예요.

시간이 흐르며 아픔은 침전(沈澱)되어 그리움이 남았고, 상실감과 질투는 우정(友情) 비슷한 질긴 감정으로 변했어요.

남녀 사이에 우정이라니 좀 엉뚱하죠. 하지만 그 덕에 소년은 아직 남자인 채로 연인을 다시 만나보겠다는 엄두를 낼 수 있게 되었고, 그렇게 둘이 만났대요. 지난 가을에.

소년이 느끼기에 연인도 사정은 비슷했어요. 그녀의 마음 한켠에, 일부러 남겨 놓았거나 숨겨 놓은 밭이 있었던 것 같았어요. 그곳은 크지 않더라도 소년만을 위한 곳이어서, 소년에 대한 추억을 심어놓고 꽤 잘 가꾸어 온 것 같았어요. 소년에 대한 연민(憐憫)이랄까, 모성애(母性愛)에 가까운 감정이 만발해 있는 것 같았어요.

조금 서글픈가요. 그렇지만 연인 역시 그 덕에 소년을

다시 만날 수 있었던 거예요.

바로 그날. 그러니까 소년이 20년 만에 연인을 재회한 날이었죠. 소년 마음속에서 나비 한 마리가 사뿐히 날아올라 마주앉은 연인의 가슴으로 옮겨갔어요.

그런데, 나비는 연인의 가슴으로 바로 들어가지 않았어요. 연인의 뺨과 코를 날개로 간지럽히고, 그녀의 단발머리에 앉아서 놀며 시간을 끌고 나서야 비로소 가슴 안으로 들어갔죠.

나비의 그런 행동은 관능적(官能的)인 몸짓이 분명한데, 이 나비가 소년과 연인의 의도도 모르고 눈치 없이 제멋대로 민망한 교태(嬌態)를 부린 것일까요.

사실은 이러해요. 소년이 정작 연인을 다시 만나기로 약속한 후 고민이 되는 게 하나 있었어요. 만나고 싶은 마음 간절하지만 "만나서 잘못되면 어쩌지?" 라는 걱정이 들었던 거죠. 어떻게 헤어져서 어떻게 지내왔는지 잘 알잖아요. 그렇게 견뎌놓고서 이제 와서 함께 타락(墮落)하면 안되잖아요. 아무리 시간이 지났지만, 연정(戀情)이 아예 사라진 건 아니었으니까요.

어찌 보면, 우정 비슷한 마음이든, 연민과 모성애 중간이든 그 뿌리는 연정에 닿아있는 거고, 그게 다시 만나고 싶은 마음의 원동력이고, 아니라고 잡아 뗄 수도 없고, 이건 감추려 해도 결국 드러나게 될 것이고, 앞으로 연정이 더 커지지 않는다고 누가 장담하겠어요.

한편으로 소년은 "연인의 마음에도 나를 연모하는 마음이 남아있을까?" 그것도 궁금했대요. 그게 없다면 소년으로서는 너무 서운한 거고, 만날 이유도 없어지는 것이니까요.

이런 '걱정'과 '의문'에 대해 연인에게 터놓고 말하거나 대놓고 물어볼 수 없었지만, 어떤 식으로든 짚어두어야 했어요. 단 한번 잠깐을 만나는 것이라고 해도 소년으로서는 관계의 정체성과 전망에 대한 어떤 입장이란 걸 가지고 있어야한다고 생각했대요. 그 소년은 어릴 때부터 생각이 지나치게 많은 편이었거든요.

궁리 끝에 소년이 나비에게 미리 단단히 일러두었던 거였어요.

자기 마음에서 날아올라 연인 가슴으로 옮겨가되, 바로 들어가지 말고 반드시 여기저기 간지럼도 태워보고, 특히 저 단발머리에는 꼭 한 번 앉아보라고.

만약 연인이 조금이라도 싫은 내색을 한다면, 나비가 소년의 의도를 오해하고 멋쩍은 푼수 짓을 한 것으로 치부(置簿)되게끔 겸연쩍은 표정을 지으며 소년 마음속 으로 얼른 되돌아와 그 안에 갇혀 매일매일 죽을 것이고, 반대로 뿌리치지 않는다면 그 때엔 연인 가슴 깊이 파고 들어가, 거기서 영원히 살라고.

그날 연인은 나비를 뿌리치지 않았어요. 연인도 나비가 왜 그러는 건지 눈치를 채지 않았을까요.

지나간 이야기 하나를 덧붙이자면, 사실 소년은 연인과 재회를 결심하기 훨씬 이전, 그러니까 그리워 못 견딜 것 같거나, 영영 잊힐 까 두려워 무덤덤한 안부나 보내던 그 무렵, 나이가 들어서 남자도 여자도 아닌 존재가 되었을 때라도 꼭 다시 만나길 소원하던 그 시절, 막연하게 이런 생각을 했었다나 봐요.

　"만약 프랑스 파리에 우연히 혼자 갔는데, 연인도 웬일로 거기에 혼자 와있어서 그 넓은 곳에서 우연히 마주치게 되는, 도저히 일어날 리 없는 그런 일이 실제로 일어나게 된다면, 그때만큼은 연인에게 '파리에 있는 동안만이라도 밤낮을 온전히 함께 살자.'는 말을 반드시 할 거라고"

　이제 두 사람은 앞으로 어떻게 될까요. 저도 모르고 아마 두 사람도 잘 모를 거예요. 하지만, 두 사람이 서로를 소유하려는 마음보다 아끼는 마음이 훨씬 큰 사람들이라서, 어떤 식으로든 서로 상의하면서 아름다운 관계로 가꾸어나가지 않을까요.

　그러니까, 두 사람의 앞으로 일에 대해서는 기도만 하고 관심두지 말자고요.

페르마타[4]

클래식은 악보대로 연주해야 한대요. 박자, 악상기호(樂想記號) 그런 걸 제대로 지켜야하는데, 아마추어들은 자기 기분대로 해버리니까 음악이 다 깨져요.

박자를 지키면서 선율을 잘 만들어주었다고 작곡가가 연주자에게 선물을 주는 건가? '페르마타'라는 게?

그건 아니겠죠. 그곳에선 여유를 가지고 충분히 표현해야 곡이 아름다워지니까 그렇게 작곡해둔 걸 거예요.

악보에 적힌 대로 마디마디 리듬을 정확히 지키고, 높낮이, 셈여림을 잘 지킴으로써 '격(格)'을 탄탄하게 갖추고, 이를 신뢰한 청중이 음악에 편안하게 자신을 내맡길 수 있게 한 다음, 가끔 파격(破格)을 통해 곡 전체를 관통하는 큰 리듬을 겹으로 만들어 더욱 깊은 감동을 느낄 수 있도록 하는 것. 그게 페르마타일 거예요.

우리에게도 우릴 기다리고 있는 페르마타가 있겠죠?

---

4) 12. 8. '페르마타'란 잠시 멈추라는 악상 기호인데, 길게 늘여서 연주하라는 뜻으로 오해

고래[5]

물고기가 될 수밖에 없는 운명이라며 바다로 들어갔던 고래는, 끝내 아가미를 거부하고, 굳이 정수리를 정으로 깨 숨구멍을 위로 뚫었다.

바닷속과 수면(水面)을 오가며 두 세상을 살아가는 데, 물속에 살며 수면 위로 잠시 들르는 것인지, 수면 위에 살며 긴 잠영(潛泳)을 하는 것인지 고래도 알지 못했다.

두 세상을 살아가야 하는 고래에게, 수면은 불면(不眠)의 공간이었고, 짠물의 부력(浮力)도 헤쳐야 하는 또 하나의 세파(世波)였다.

---

5) 12. 18. 새벽 눈 쌓인 오두막에서의 불면

캐년(Canyon)[6]

네가 잠깐 스쳐지나간 입술엔 거미줄에 베인 듯한 상처가 패였다.

멎지 않는 그리움은 얕은 균열을 따라 실개천으로 흘렀고, 범람(氾濫)하는 법이 없었다.

질기게 흐르는 물이지만, 협량(狹量)한 도랑일 뿐 위협도 되지 않고 쓸모도 없다보니 자연으로 남겨졌다.

좁은 만큼 깊이 파고들었고. 바닥이 침식되면 주변도 함께 허물어져 넓은 골짜기를 이루었다.

몰래 흐르다가 깊어진 내 캐년에는, 까마득히 내던져졌던 언약(言約)의 사금파리가, 협곡을 두드려 아득한 기척을 만들며, 너를 기다린다.

내 입술엔 미련 맞은 메아리가 산다.

---

6) 1·2. 23. 내 입술의 갈라진 흉터와 오래 전 내가 깨뜨린 약속과 메아리처럼 울리는 탄식과 오래 보존된 내 그리움

빈 과녁[7]

시위를 당겼다가 놓는 수고도,
가늠하며 겨눌 필요도,
애초에 없었다.

명중을 원했던가.

그때 나는,
수목으로 첩첩 둘러싸인 맑은 연못.

기다릴 자격은 누구에게나 있으니,
파문(波紋)을 일으켜 줄 운명을 숨죽여 기다려 왔었다.

무어라도 던져준다면,
요란한 동심원(同心圓)으로 일어서서 반기며
정확히 눈알이 뚫리고자 했던
수줍은 과녁이었다.

넌.
물가에 앉아
길고 하얀 손가락으로 날 간지럽히고,

---

7) 12. 24. 과거의 너에 대한 작은 원망

연잎 같은 손바닥에 날 머금더니,
앳된 얼굴만 씻고 떠났다.

허다하게 널린 돌멩이 하나
모래 한 톨도 건네지 않은 넌
그때 어딜 급히 가는 길이었나?

내게 들렀던 연유(緣由)는 언제 알 수 있을까.

가슴 멍드는 달[8]

환한 미소로 항상 둥근 넌
주홍빛 그리움.

하얗게 부풀었다가,
새초롬하게 이지러지는 난
파란 달.

타고난 변덕이 아니야.
네 그림자 놀음일 뿐.

미운 세상 넓은 어깨에 가리면,
가물가물 네가 잘 보이지 않아.

가슴 멍드는 달.

차마 눈을 감겠니. 가늘게 뜬 서슬이지.
내 눈물에 무뎌지는 네 얼굴
놓치지 않으려고.

---

8) 12. 29. 네가 좋았다가, 서운했다가 수시로 바뀌는 내 마음

물거품[9]

투명해서 예쁘고, 주위의 더러운 모습까지도 얼비추어 영롱함으로 빚어내고, 그래서 보석처럼 귀중하게 느껴지고, 유리나 다이아몬드처럼 견고해보이고, 영원히 썩지 않을 것처럼 보이는 건 무엇일까요.

실제로는 비할 바 없이 얇아 종잇장만한 실체조차 가지지 못해서, 아무런 소리도 내지 못한 채 찰나에 사라져버리는 것은 무얼까요.

그건 물거품이죠.

움켜쥐려 해도 잡히지 않고, 잡은 듯해도 붙들어둘 수 없는, '채워지지 않는 갈증과 안타까움'에 대한 은유(隱喩)라는 점에서 '연기'나 '안개'와 비슷하지만, 더 나아가 '영원할 듯했다가 홀연히 사라지는' 아름다움까지 은유하는 거죠.

안데르센이 인어공주의 반대말로 '연기'나 '안개'가 아닌 '물거품'을 선택한 이유를 이제 알겠어요.

공들였으나 결실을 맺지 못하였을 때, 사람들은 '수포(水泡)로 돌아갔다'고 하는데, 수포가 바로 물거품이지요. 무언가가 수포로 돌아갔다고 할 때, 그 의미는 단순히

---

9) 1. 31. 이광조의 '아름다운 여인'과 이치현의 '당신만이'를 듣고

무언가가 결실을 맺지 못했다는 의미에 그치는 것이 아니라, '영원할 것 같이 영롱했던 무언가가, 알고 보니 실체가 빈약(貧弱)했던 것'이고. '순식간에 사라졌으며, 그래서 더욱 허망하다'는 의미일 거예요.

당신이 '연기'나 '안개'가 아니었으면 좋겠어요. 또, 우리 인연도 '물거품'도 아니었으면 좋겠어요.

숨10)

비단실 뭉치로 귓구멍 꽁꽁 막혀도
바늘 끝 꽂히지 않는 벨벳에 눈이 친친 가려도
숨만 쉴 수 있다면,
사뿐 발자국, 찰랑 머릿결
당신 향기로 훤히 듣고 볼 수 있어요.

숨을 멎을 게 아니면 숨지 마세요.
숨겨지면 숨만 쉬어요.

칠흑(漆黑)속에
천둥이 하염없이 울고, 번개가 세상을 찢더라도,
난 천개의 빗줄기를 올올샅샅 코로 헤집어,
당신의 숨 오라기 한 가닥을 악착(齷齪) 물고,
해진 지느러미를 용포(龍袍)처럼 휘적이며,
양양(揚揚)하게 거슬러 당신에게 닿겠어요.

하루 수천 번 내다버리는 그 숨을 주세요.
가쁘게 버리는 숨일수록 더 뜨거울 거예요.
그걸로 내 가슴에 당신의 낙인(烙印)을 새기겠어요.

---

10) 2. 6. 입 맞추고 싶은 마음이 들어서

뱃놀이[11]

둥근 산에는 핀만큼 가늘고 핀보다 더 뾰족한 침엽수들이 빼곡하게 꽂혀 있어서, 마치 엄마의 바느질 바구니에 있던 핀쿠션 같은데, 그 가운데 오목한 부분에 물이 고여 호수를 이루어요.

큰 호수와 작은 호수가 가늘게 연결되어 어떤 사람은 '까지 않은 땅콩' 같다고 하고, 어떤 사람은 눈사람 같다고 할 걸요.

호수를 둘러싸고 올망졸망한 산봉오리들이 낙타등처럼 늘어서있는데, 조금 키가 큰 봉오리들 중턱에는 하얀 구름이 둘러져 있어요.

산 군데군데 허물어진 사면(斜面)이 있고, 거기엔 어린 나무들이 짝 다리를 짚고 버티며 듬성듬성 자라고 있는데, 멀리서 보면 모자를 쓴 거인의 머리가 자꾸 커지는 바람에 모자 한쪽이 터진 것처럼 보여요.

바람도 올라오지 않고 그냥 비켜가는 산꼭대기라서 수면은 잔잔한데, 봉오리 위로는 새하얀 뭉게구름 몽실몽실 떠가는 파란 하늘이 펼쳐져 있어서, 호수가 파란 하늘을 담은 건지, 하늘이 파란 호수를 비춘 건지, 둘은 편안하게 마주보며 웃고 있어요.

---

11) 2. 13. 함께 간 것처럼 상상해본 날

호수를 둘러싼 봉오리들 너머로는 그 봉오리보다 더 높은 봉우리들이 들쭉날쭉 서 있는데, 마치 '호수 안에서 누가 무엇을 하고 있나?' 궁금해서 작은 봉오리 어깨 너머로 들여다보고 있는 구경꾼 같을 거예요. 하지만, 실제로 우리를 훔쳐보는 거는 아니니까 괜찮아요.

호숫가 어딘 가엔 분명 조각배가 있어요. 자갈밭에 턱을 걸치고 끄덕끄덕 졸고 있겠죠. 난 서둘러 배를 흔들어 깨워 당신을 얼른 태우고는, 천천히 노를 저을 거예요.

어딜 가고자 하는 게 아니라서 방향도 없고 애를 쓸 필요도 없어요. 그저 영원히 그렇게 있고 싶을 뿐이지만 그래도 난 노를 저어요. 가만히 서 있어도 배는 물결 따라 뒤뚱거릴 텐데 그럼 불안하거든요. 흔들리는 박자에 맞춰 노를 저으면 더 편안할 거 같아서요.

세상의 모든 소음은 호수가 다 빨아들여서 주위는 고요해요. 아니. 너무나 고요해서 마치 소리의 진공(眞空)처럼 느껴져요. 그간 귓속에 쌓여온 온갖 잡음의 먼지들마저 다 빨려나가는 듯이, 고막이 바깥쪽으로 볼록해지는 느낌이 잠깐 들지도 몰라요.

배에서 나는 삐걱삐걱 소리, 노를 물속에 담글 때 찰박찰박 소리, 노 들어 올릴 때 똠방똠방 물방울 떨어지는 소리, 물이 뱃전을 가를 때 할짝거리며 핥는 소리도 들리니까 적막(寂寞)하지 않아 좋아요.

오붓한 세상 안에 우리 둘만 있어요.

배가 둥실 나아갈 때마다 파란색 하늘이 좌우로 갈라지며 일렁이고, 그러면 뭉게구름도 함께 꿈틀거릴 텐데, 얼마나 예쁘겠어요.

우리는 마치 하늘과 호수가 된 것처럼, 혼자 거울을 보고 있는 것 같이 편안하게 서로의 눈을 들여다보게 되겠죠.

난, 입속에서 물방개처럼 맴돌기만 하던 당신의 이름을 불러낼 거예요. 이슥한 밤 탈옥하듯 불쑥 입 밖으로 튀어나오곤 하던 그 이름, 그럴 때마다 깜짝 놀란 가리비처럼 입 닫고 주변을 두리번거리게 만들었던 당신 이름을 계속 부를 거예요.

그 곳에서는, 엿듣는 사람도 없고, 메아리도 남지 않을 테니까요.

만날 약속[12]

꼭두새벽, 먼 동 기다리다가,
차라리. 산꼭대기로 해 마중을 나섰어요.

알록달록 들뜨는 가슴. 꼭 여미라고
손깍지 끼우면 다신 놓지 말라고
꼭! 끼워!
아랫마을 수탉이 푸드득 홰를 쳤어요.

기다리는 나는요.

꽁지가 하염없이 길어지고, 이마엔 맨드라미 피어나요.
떠오르는 노란 눈깔로 먼 하늘 바라보며,
울음 삼키는 수탉으로 우두커니 섰어요.

---

12) 2. 17. 이른 아침부터 만남이 기다려진 날

꽃밭[13)

뿌리 채 뽑았던 건 맞아. 키울 수 없었으니까,
갈아엎을 수는 없었어. 가꾸지 못한다 해도,
거기 던져놓고 돌아섰지만,
잊어본 적 없었고,
다른 씨 뿌리지 않았지.

흙에 내리지 못한 뿌리라도,
갈증은 달래지는 것일까.
밭이 아니어도 꽃은 피어나는 걸까.
열매를 맺지 못해도 우린
다시 피어날 수 있는 걸까.

---

13) 2. 23. 변명해 본 날

눈[14]

눈이라서 씨앗 속에 다 마련되어있는 걸까.
눈을 뭉쳐서 만드는 걸까.
눈 촘촘한 그물로 건져 올려야 하는 건가.
눈을 들여다볼수록 더 모르겠어요.

---

14) 2. 23. "여기서 시적 자아가 궁금한 게 무엇일까요?", "사
랑?", "너무 뻔하죠?", "뻔해요. 뻔한 문제를 왜 내고 그
러세요. 뻔한데?", "뻔한가 안뻔한가 궁금해서요. 다른
사람이 봐도 뻔하겠죠? 은유는 감추어진 비유여야 되는
데 너무 뻔하면 안 되잖아요.", "아.. 다른 사람한테 물어
보기 전에 저한테 테스트해보신 거였구나... 네... 뻔해요...",
"은유(隱喩)는 감추어진 비유인데, 그걸 알아볼 눈이 있는
사람에게만 파악이 되는 은유면 더 감추어진 거고, 알아
들을 사람이 한 사람이면 그건 은유에서 더 나아가 밀어
(密語)가 되는 거니까 더 좋을 거 같아서요."

홀씨[15]

물방울 연못 위에 떨어지면
오목해졌다 볼록해졌다,
쌍둥이 동그라미들 재잘대며
손잡고 물 건너 소풍가요.

당신 마음 한 방울 떨어지면
난 들떴다 서운했다,
태어나는 꿈마다 그리움에 매달려
내 한숨 올라타고 시집가요.

---

15) 2. 24. 들락날락하는 마음을 전하며

담쟁이16)

푸른 말 속삭이던 이파리들은
어느새 어디로 가버린 걸까.

추억은,
사자(死者)의 정맥(靜脈)처럼 시커멓게 갈래를 치며,
낡은 벽에 한숨으로 말라붙어 있었지.

봄비는 입맞춤이지만 축축하진 않을 거야.
봄바람은 따뜻한 숨결이니까,
네 핏줄이 빨갛게 달아오르면,

줄기마다 잎 순은 연두연두 돋고,
가지 사이 아기 복숭아로 박힌 네 꽃 순은,
내 입술에 파르르 수줍어할까.

이제 곧 봄이 오면,
널 이렇게 부를게.

내 담쟁이.

---

16) 3. 7. 고등학교 담장에 죽은 듯 달라붙어 있는 담쟁이
넝쿨을 보다가, 봄이 오면 나도 추잡하지 않은 모습으로
살아나 널 달아오르게 할 수 있을까 생각

아궁이[17]

내 머릿속에는, 여러 복잡한 이야기가 뒤엉켜 쓰인 책이 한 권 있어서, 내가 하루하루를 산다는 것은 결국, 깨어나서 잠들 때까지 그 책을 이리 저리 뒤적이거나, 새로운 이야기를 써 넣거나, 쓰여 있던 이야기를 지우거나 고치거나 하는 일인데, 책장을 넘길 때마다 어떤 미운 아이의 냄새 같은 게 풍겨오기도 하고, 펴 놓기만 해도 스멀스멀 배어나오는 것 같아.

다른 일 아무 것도 할 수 없는 난, 머리 아궁이에 얄미운 기억 쪼가리 들을 죄 모아 놓고 부채질 하며 불을 지피면, 그 기운이 고래를 타고 고래를 타고 내 몸 구들을 뜨겁게 달구는데, 굴뚝이 여기 있는 지 가슴 왼쪽에서 연기인가 구름인가 뭉게뭉게 피어오르면서, 미운 아이가 갑자기 예쁘게 느껴져.

인제 난 어떻게 하지?

---

17) 3. 8. 일이 손에 안 잡혀서

샘물18)

모래알 동글동글 졸랑거리지?
물속에 뭔가 아지랭거리지?
피식피식 새어나온 물의 웃음인 거야.
항상 깔깔거리고 새실대는 거야.

윗배 몽글몽글 올랑거린다고?
가슴이 차르랑차르랑 더워진다고?
아장아장 사랑이 걸음마 하는 걸까.
넌. 귀엽게 살랑거리는 어리광쟁이잖아.

---

18) 3. 9. 즐거운 마음

청개구리[19]

청개구리로 소문난 청개구리.

사랑한다는 말 대신에,
헤어지잔 말. 낼름 뱉어버렸던 청개구리.

부끄러워 얼굴이 빨개졌는데,
그리워서 온몸도 새빨개졌는데,

이젠 사랑한단 말을 해도
거짓말로 들리나 봐요.
말에도 색깔이 있다나 뭐라나.

멀뚱멀뚱 꿈벅꿈벅,
소문난 청개구리.

---

19) 3. 9. 청개구리처럼 군다고 하면서, 나에게 '청개구리로 시
하나 지어보라'고 해서 '빨개구리로 짓겠다'고 해놓고나니,
옛날 헤어지자고 말했던 미안함이 떠올라

헤어진 바다[20]

산호초 들랑날랑 물고기.
알록달록한 바다꽃을 따고 싶었어요.

가냘픈 심장에서 하늘하늘 거미줄을 뽑았는데.
아이구야! 미늘 바늘을 달면 안 되죠.
진주를 달아야 꽃을 꿰어내죠.

멀리서 비릿한 비 냄새가 몰려오네요.
일렁이는 바다는 낯설어져요.

닻은 거두고,
미련만 부표(浮標)로 띄워두었죠.
혼자 던진 약속이라 정처(定處)도 없어요.

그리곤, 돌아가지 못했을 걸요.
바람이 거꾸로 불었으니까.
모르는 해변에서 그냥 살아요.

---

20) 3. 10. 짧은 글 하나 지으려고 '좋아하는 바다생물'하고,
'별자리'를 알려달라고 했더니 '굴', '게자리'라고 알려준 게
2. 27.

바다꽃은 늘 예뻐요.
하늘의 등대는 북극성이고
게자리는 닻을 던졌던 곳.

굴에게 고해성사를 해요
말귀를 닫은 바다의 신부님.
소라에겐 내 미련을 말해요.
밀봉해서 전해달라고.

날개 없어서 다시 못가는 곳.
닿지 않는 연인에게 소식이 전해질까.
구름 너머 연을 날려요.

파도는 나른하게
발꿈치 자장자장 핥아주어요.
사무쳐 잠 못 드는 아이를 달래주어요.

꿈속에서 무지개를 본다면
그건 당신의 웃음인가요.

봄21)

나비는 박수치는 게 아니에요.
간절히 기도하는 거예요.

나비는 잠도 자지 않아요.
밤새 이슬로 얇은 날개 적셔요.
아침마다 한 방울
발라낸 눈물 대지에 바쳐요.
꽃을 깨우는 건 대지니까요.

나비는 꽃몽오리 놀랄까
나풀대는 꽃잎인양 다가가죠.

흥청망청 취해야 꽃인 거예요.
하늘거릴 때
가장 예쁘니까요.

나비는 꽃에게 속삭여요.
슬펐던 분홍색 이야기, 기뻤던 흰색 이야기.
서운했던 남색. 놀랐던 노란색.
화났던 빨간색 이야기.

_____

21) 3. 14. 일본 노래에 자주 등장하는 가사라며, 난 "つたえた
い(츠따에따이: 전하고 싶다"이고, 넌 "聞きたい(기키따이:
듣고 싶다)"라고. 잘 맞는다고.

알록달록 생채기마다 얽힌 이야기.

설레임 한 잔 권하고,
망설임 한 잔씩 나누고,
나비의 말에 취하면
스르르 꽃잎은 열려요.

나비는 더듬이로도 건드리지 않아요.
아프게 벌어진 자리는
스쳐도 소스라치니까요.

봄은, 꽃과 나비의 결혼식이에요
꽃씨는 사실 나비의 아이인 거예요.

화이트데이22)

달콤할수록 금방 사라진대요.
착한 아이는 맛있는 걸
울면서 먹는대요.

쵸콜렛은
가슴에 철렁 떨어진
짙푸른 잉크 한 숟갈.

꿈틀꿈틀 달달하게 파고 들어가선,
온통 시퍼렇게 도배를 해요.

당신
만났다 헤어지면
금방 서운해져요.

마음에 달콤한 멍이 드나봐요.

---

22) 3. 16. 맛있는 걸 먹을 때 음식이 줄어드는 게 서운해서 울
　　면서 음식을 먹는다는 아이에 대해 들은 날

얼음 무지개[23)

무지개가 되고 싶은 꿈을 꾼 게 무슨 잘못이죠? 천하고 어리기 때문이라고요?

발칙함은 유리구슬 안에 봉인된 채 겨울로 넘겨졌고, 다채로운 천성도 그 안에 화석으로 굳어져 영원히 바깥세상에 닿지 못하는 벌을 받게 되었어요.

몸부림치며 흩뿌린 눈물은 살얼음이 되어 구슬을 덮었고, 난 그 부연 장막 속에서 체념하고 있었죠.

춥고 아무 것도 보이지 않던 어느 날이었어요. 작은 창이 하나 열렸어요. 얇은 스웨터를 입은 단발머리 여자아이가 날 들여다보고 있었죠. 아장아장 걷다가 날 발견한 것 같았어요.

아이의 눈길이 닿는 곳마다 장막이 녹아 창이 생겼고, 난 거기로만 세상을 볼 수 있었고, 아이에게 말을 걸었어요. 따사롭고, 아늑했고, 환했어요.

그 아이는 봄볕이었던 것 같아요.

---

23) 23. 3. 19. 걸어서 출근하다가 햇살 닿는 잔등에서 따사로움을 느낀 날(물기 마르지 않은 상태로 냉동실에 들어간 맥주잔을 꺼내 들었을 때 손가락 끝이 닿은 곳마다 투명한 창문이 열리는 것 것처럼). 또 시인과 촌장의 노래 '얼음무지개'를 들었고, 너에게 안기고 싶었던 날.

당신이 빨리 어른이 돼서 성큼성큼 다시 날 찾아왔으면 좋겠어요. 잠깐만이라도 그 품에 내 전부를 폭 묻게 된다면, 세상은 다시 한 번 훤히 열리고, 옥죄이던 것들은 모두 사라질 것만 같아요.

　난 기지개를 쭉 펴고 하늘로 솟아올라, 낮엔 무지개가 되고 밤엔 은하수가 되어 당신의 전설(傳說)을 천년만년 이야기할 거예요.

봄날 욕실[24]

몸도 마음도 찰흙처럼 덩어리로 굳어, 인후(咽喉)가 가뭄 든 듯 텁텁하던 계절에는, 뜨거운 소나기를 흠뻑 맞곤 했어요. 겨울의 욕실은 무척 포근했어요.

오늘 아침 따뜻한 소나기에 몸을 적시다가, 문득 알아차렸죠. 옷을 벗을 때의 선뜩함이 없었네. 물 온도를 맞추는 동안 소름도 돋지 않았네. 자칫 찬물이 튈 때 몸서리도 치지 않았네.

아하. 봄이로구나!

욕실 문을 조금 틔웠어요. 스며들어올 냉기가 없을 테고, 거울에 김이 서리면 수고로이 닦아야 하니까.

연인은 이미 서로 사랑하니까, 연인끼리 말을 하는 건 참 좋아요. 뜸을 들이거나 눈치를 보지 않아도 되고, 에둘러 말할 것도 과장할 것도 없고, 거짓말할 필요도 없고 가릴 이유도 없어요.

짓궂은 말도 언짢지 않고, 무슨 말을 해도 오해하지 않고, 서운한 말을 하더라도 뒷맛은 결국 달콤하니까요.

머뭇거리지 않고 바로 드러내면 되는 연인은 따뜻하고

---

24) 3. 20. 편한 사이가 되어가고 있다는 생각을 한 날

촉촉해요.

당신에 흠씬 젖어서 더 나른한 봄이에요.

마음 사탕[25]

매일 들락날락거리는 마음을 붙들어
작은 거푸집에 붓고 육면체로 굳힌 다음
조각칼로 날짜를 둘레에 새기고,
위엔 네 이름 아래엔 내 이름을 파고.

네 이름 자리는 금으로 채워주고,
내 이름 자국은 전복껍질로 때워버리고,
옻칠한 종이로 싸서 양쪽 귀를 비틀어,
주머니에 깊이 넣고 다니다가.

네가 울 때 쑥 내밀어 건네면,
아주 달게 녹여먹으면서 날 바라보겠지.

---

25) 3. 23. 네게 줄 게 너무 없어서

반말26)

음습한 두엄 속, 눈 감고 빈둥빈둥
게으른 룸펜에겐 팔도 다리도 필요 없었어.

오로지 말을 짓고 되뇌고 가다듬었지.
불멸(不滅)의 연인으로 영원히 잡아둘 수 있는 멋진 말.

안녕하십니까. 좋은 계절입니다.
어디서 본 듯한데,
저와 데이트를 하시지 않으렵니까.

눈 내리고, 벚꽃 흩날리고.
소나기 쏟아지고, 단풍이 지고.
시인으로 칩거(蟄居)한 지 벌써 몇 년.

안 써지는 말이 뭉쳐 배알이 뒤틀리고,
울화는 치밀어 눈깔로 튀어나오고,
분노는 낫과 갈고리로 돋아나,
운명의 사다리를 찍으며 기어올라.
등짝은 찢어지는데 아프지가 않았어.

---

26) 4. 5. 말을 놓으면 하고 싶은 말을 더 쉽게 할 수 있지
않을까 혼자 생각을 해보았던 날

몸이 부르르 떨리더니, 몸이 떠올랐지.

한 철 훅 지나간다. 인생 확 살아야 한다.
긴 말 할 시간 없다. 앞으론 무조건 반말이다.

무슨 말로 여기 있다고 소리쳐야 할까.
뭐라고 네게 속삭여야 할까.
네 말에 어떻게 대답해야 할까.

맴.
맴.
맴.

반말은 사랑의 시.

무서운 나그네[27)

겨울 눈송이는 주정꾼과의 사별을 축하하는 꽃종이.

고적(孤寂)한 밤. 추적추적 쌓인 눈 녹고,
훤하게 동이 트는 아침마다 한 숨 지을 때,

봄은 불현듯 문을 두드리는 나그네.

열린 모공(毛孔)마다 파란 싹 틔우고,
내 마음 걷잡을 수 없는 꽃밭으로 만들어버리는

무서운 나그네.

---

27) 3. 28. 참고 있는 말이 봄기운에 튀어나올 것 같아 걱정
하던 날

꽃방울[28]

난 예쁜 쪽가위를 떨리는 품에 숨겨 초록벌판으로 가지고 나가, 당돌한 연보라 제비꽃과 철없는 하얀 안개꽃 받침 아래를 바짝 잘라서는, 그걸로 나의 흉한 상처를 덮거나 너의 수줍은 구석에 꽂아 치장을 하고, 그 위에 입을 맞추고 돌아올 거야.

아니면 모든 사람의 숨긴 흉터마다 영롱한 방울을 달아서, 부끄러워 할 때마다 아름다운 소리가 세상에 울려 퍼지게 하고 싶어.

---

28) 3. 31. 취중에, 부끄러움과 아름다움이 상관있다는 생각

널 만나는 곳[29)

하나. 넓은 옥수수밭

바다가 멀어서 옥수수를 키우지요.
초록 물결 밀려다니거든요.
울타리가 없지만 아무도 오지 않아요.
가뭇없이 망망(茫茫)해서 길을 잃으니까요.

마른 땅 뗏목에 누워 하늘을 보아요.
하얀 부표(浮標) 뭉게뭉게 떠 있는 저 곳
당신을 만났던 뭉클한 바다일까요.

그리운 이름 불러보는데,
뾰족 이파리 끝 잠자리도 손 모아,
갸웃갸웃 옛사랑을 함께 추억해요.

키 큰 옥수수들 뒤돌아서 망을 봐요.
보고 듣지 못하는데 흉을 보겠어요.

꼭 한 번 우리 이야기해요.
옥수수 영그는 환한 내 다락방에서.

---

29) 3. 31. 너를 만나고 싶은 공간과 시점에 대한 에로틱 판타지

둘. 폭풍우 치는 밤

빼곡한 빗소리가 양철 가슴에 콩을 튀기면,
가슴이 훌렁 뜯겨져 날아갈 것 같았어요.

둔중한 바람이 오히려 새된 소리를 내면,
겁에 질린 전깃줄은 휘파람 같은 비명을 질렀죠.

와장창 자지러지는 호령을 천둥이 집어던지면,
번개는 거울 속 얼굴을 둘로 쪼개버렸어요.

세상이 무너지며 신음소리마저 묻힐 것 같던 밤마다,
눈과 귀를 묻으며 파고들 당신 품이 그리웠어요.

아니. 당신이 그리운 밤마다 난 우레를 그리워했죠.

도-시-도(Do-Si-Do) 댄스[30]

계수나무 방앗간 너머
모르는 마을에서 이사 온 내 연인은.
다 좋은데, 수줍음이 만발해서
사람 많은 곳 싫어하고요.
말 해보라 하면
웃기만 해요.

등 뒤에 숨긴 꿍꿍이 보자고 하면,
양 손으로 내 양 손 꼭 잡아 놓지 않고,
빙긋빙긋 웃으며, 빙글빙글 돌기만 하고,
등 뒤는 안 보여줘요.

고향 춤 가르쳐준대서
얼씨구나 훔쳐보려 했었겠죠.

마주보고 떨어져선 팔짱도 혼자 껴요.
오른 어깨 스쳐 앞걸음.
서로 등지고 게걸음

---

30) 4. 1. 달은 자전주기와 공전주기가 같아서 지구에서는 달은
    한쪽 면 밖에 볼 수 없는데, 이를 조석고정(潮汐固定)이
    라고 한다.

왼 어깨 스치며 뒷걸음치니
또 한 달이 흘러갔어요.

토끼가 방아 찧는 동네의
개떡 같은 포크댄스.
등 뒤를 볼 수 없는
도-시-도(Do-Si-Do) 댄스.

얄미운 그거 빼곤 다 좋은 내 연인.

고래와 곰치[31)]

오랜 만에 대중목욕탕을 가기 위해 집을 나섰다. 봄바람이 불어왔다. 벚꽃은 이미 방울로 흩날리며 땅에 흰 점을 찍고 있었다. 공기는 내 얼굴과 목덜미를 스쳐 지나갔고, 풀어헤친 셔츠 속으로 파고들어 가슴과 등까지 씻어내는 듯했다.

해마다 이랬던 것일까. 오늘 바람결에서는 차가운 바람의 결과 따뜻한 바람의 결을 뚜렷이 구분할 수 있었다. 차가움과 따뜻함이 번갈아가며 나를 만졌다.

서로 섞이지 않은 채 꼬여있는 두 바람결. 청회색과 노란색의 바람결이 각자 고사리이거나 십장생도(十長生圖)의 구름인 양 꼬부라져서, 서로 엮였다가 풀어지고 몰려갔다 몰려오며 날 스칠 때마다, 겨울 욕실에서 뜨겁게 샤워하던 때와 여름에 냉장실에 머리를 들이밀었던 때를 떠올렸다.

조경수역(潮境水域). 바다에는 한류(寒流)와 난류(暖流)가 만나 섞이는 곳이 있다. 영양염류가 풍부하여 어종이 다양하다. 하구(河口)에선 강의 담수(淡水)가 해수(海水)를 만난다. 이곳에도 다양한 생명들이 먹고산다. 그래서 생명은 봄에 싹트는 걸까.

---

31) 4. 3. 전날 목욕 다녀오면서 떠오른 생각

목욕탕에 들어가 온수에 몸을 담갔다. 달궈진 표피를 식히기 위해 심장이 펌프질을 하였다. 피가 달궈지고, 표피의 열이 심부까지 전해지면서 근육이 이완되고, 신경을 쥐고 있는 근육의 손아귀가 나른해지면서 통증도 잦아들었다.

손가락으로 귀를 막고 점점 몸을 뉘어, 입과 코만 물 밖으로 내민 채 무중력에 몸을 맡겼다. 고래가 떠올랐다.

물속에서 살고 물속에서 밥을 먹지만 숨은 물 밖에서 쉬어야 한다. 난 물에 몸을 담갔지만 물 밖을 호흡한다. 내가 이렇게 두 개의 세상을 산다면, 난 어느 세상에 속하는 걸까. 어떤 세상이 일상이고, 어떤 세상이 일탈일까.

곰치. 바다 깊은 곳 어두운 구멍 하나를 차지하고 사는 기다란 물건이다. 숭악한 몰골에 지느러미마저 퇴화한 병신이 좁은 굴 하나를 차지하고, 거기 숨어 감지덕지 들락거리며 평생을 지낸다.

위대한 고래라고 해도, 넓은 바다를 제 멋대로 누비며 유영하지 못한다. 어차피 해류를 벗어날 순 없다. 회귀(回歸)하고 있을 뿐이고 해류 밖은 낭떠러지이다. 천둥벌거숭이 연어는 작은 폭포까지도 거슬러 올라가지만 그 대가는 요절(夭折)이다.

신이 인간에게만 허락한 자유의지라는 것도, 그 본질은 그저 지느러미일 뿐이다. 노래나 시도 유혹에 능한 혓바닥에 불과할 뿐이다. 운명이 지느러미나 갈라진 혀로

제어될 리 만무하다.

만남과 헤어짐. 재회와 유지. 모든 설렘과 아픔도 지느러미가 이루어낸 성과가 아니라 해류가 이끈 일상일 뿐이다.

이 지느러미 짓의 소용이 크지 않을 것이라고 생각하지만, 정해진 내일을 어차피 알지 못하기에, 난 봄바람 같은 두 개의 결을 다 거머쥐고 싶고, 고래처럼 두 개의 세상도 다 누리고 싶어, 기도하듯이 네게 노래하고 편지를 쓴다.

손오공[32)

터럭 한 올로 너와 나의 분신을 만들어 서로 바꾸어 가지고 다니자.

가슴에 안 보이는 주머니를 만들어 거기 넣고 다니다가, 책을 볼 때는 인형처럼 책상 위에 앉혀 함께 읽고, 어둔 길 갈 때는 키를 키워 손잡고 함께 걷고, 그리울 땐 찬찬히 얼굴을 뜯어보고, 심심할 땐 간지럼도 태우고, 바쁠 땐 심부름도 시키고, 잘못하면 노래를 시키자.

그러다가, 일요일엔 돌려보내서, 그간 무엇을 함께 보고 듣고, 무엇을 함께 했었는지 소상히 종알거리게 하자.

---

32) 4. 4. 뭐하는 지 늘 궁금해

봄비33)

얌전한 색시의 눈물이어서,
뒤꿈치 들고 보슬보슬 내리는 걸까.

아장아장 돋아나는 이파리들마다,
물방울 귀걸이 대롱대롱 달고 있어요.
우리 딸들 엄마를 흉내 내다가,
부스럭하면
혼날까 후다닥! 감춰요.

어제 시집 간 동백 언니 연지 곤지
영산홍 빨개지면 나도 입술 칠해야지.

뭐가 철이 없어요?
봄엔 이모들도 다 그러잖아요.

---

33) 4. 5. 단풍나무 잎사귀마다 봄비 방울이 달렸다. 새로 돋
은 빨간 잎에 물방울이 맺혔다가 후두둑 떨어졌다. 앞으로
봄을 맞을 내 딸들을 생각하다가, 목석같은 너를 얄밉다
고 느낀 날

감질(疳疾)[34]

파도처럼 덮쳐들면 작정(作定)을 하려나.
놀라 달아날까 은근슬쩍 다가서는 건데,

강아지 빈 밥그릇 핥듯 할짝할짝.
병아리 하늘 보고 쪼로록 한 모금씩.

감질 난다. 감질 나.

가마솥 째 끌어안고, 삽으로 밥을 퍼서,
개새끼 아가리에 꽉꽉 눌러 담고,
커다란 깔대기를 병아리 주둥이에 쑤셔 박아,
드럼통 째 물을 콸콸 들이붓고 싶네.

감질 난다. 참! 감질 나.

---

34) 4. 6. 그리움이 점점 커지다보니 신경질이 나

호명(呼名)35)

취한 밤 어두운 골목길 모퉁이에서
단발머리 여자가 껑충껑충 혼자 뛰고 있어.

네가 나를 기다리나봐.
네 이름을 불렀지.

깜짝 놀라 돌아보곤 숨어버리네요.

난 원래 알았어.
그저 네 이름을 크게 불러보고 싶었을 뿐.

35) 23. 4. 6. 새벽

잊어버린 것³⁶⁾

나는 남잔데, 언젠가부터 앉아서 오줌을 누나?
여보. 아빠. 정말 착해요!
바로 이런 게 사랑이에요!

하지만, 히히...
혼자 있을 땐
서서 오줌 누지요.

술 취한 밤엔 담벼락에 욕을 갈겨요.
이 병신 같은 세상아!

저 먼 기억 속 바닷가에선,
파도가 쉬~쉬~ 해줄 때,
맘대로 휘~휘~ 이름 썼었죠.

이담에 장가들고 싶은 네 이름.

---

36) 4. 6. 취중 노상방뇨

딸랑이 거북이[37)]

군모닝!
근질근질 바람은 어디서 불어오나
오늘도 쉬지 말고 네게 가보자.

한 손으로 등딱지 잡고,
똥줄 잡아 길게 빼면,
소갈딱지 배배 꼬이고
골이 성질성질 뻗쳐,
호기롭게 문을 차고 집을 나서지.

딸랑딸랑 콧노래에 꿈질꿈질 발길 따라가면,
닿을 듯 네게 닿을 듯, 화가 풀리면 맥(脈)도 풀려.

斜陽.

비 온다고 멀리가면 비 그치고 말라죽어.
어린 시절 달팽이 할아버지 말씀.

여기서 굳나잇!
오늘도 줄이 짧아 더는 못 간다.
감질감질 거북이 놀음.

---

37) 23. 4. 9. 매일 매일 같은 데를 맴돌아

도둑질[38]

우산 없이 나선 길에 꽃잎 대신 비가 뿌려도, 차라리 온전히 젖자고 하며 그대로 걸었던 건, 혹시 진탕 속에 주워 올릴 무언가가 있을 것 같아서.

나는, 세상에 버려졌거나 잊혔거나 포기된 것 중에, 내 것은 오직 거기에 있을 수밖에 없다는 생각에 빠져 평소 머리도 쳐들지 못하는데, 오늘은 외투보다 더 젖은 어깨를 축 늘어뜨린 채 터벅터벅 길을 걷다가, 네게 하고 싶은 말을 주워섬기거나 꿀꺽 삼켰다 게워내며, 내겐 이것뿐이라고 혼잣말을 한다. 미안하다고.

허탕치고 기어들어간 나의 판잣집 굴뚝엔, 오늘의 허튼 무용담과 내일의 거짓말만 무겁게 피어오르는데, 초롱 초롱 관대하게 날 바라보는 네게, 행낭(行囊) 속 젖은 요리책을 꺼내 펼치며, '아가야! 넌 이 중에서 무엇이 제일 먹고 싶니?'

빼앗는 게 아니라 빌려오는 것이다. 남는 사람에게서 몰래 빌려오는 것이고, 형편상 못 돌려줄 뿐이다. 내일은 도둑질이라도 하자.

---

38) 4. 11. 뭐하나 당당할 수 없는 내 처지가 초라해

장롱39)

글씨가 비뚤비뚤한 건
마음이 비뚤어져서 그런 거라고,
손바닥을 맞은 아이는,
억울한 줄 몰랐다.

식은 밥을 먹어치우고,
앉은뱅이 밥상을 무릎에 끌어당기면,
둥그런 테두리에 팔꿈치가 걸리적거려,
글씨가 아이 대신 비뚤어졌다.

밥상이 맞을 매를 대신 맞으면서도,
억울한 줄 몰랐다.

엄마가 없고, 다락방도 없어서,
장롱 문을 열었다.

거울 속의 아이는
억울한 표정으로 웃고 있었다.

---

39) 4. 11. '왜 나를 좋아하냐고, 왜 내가 궁금한 거냐'고 물었더니,
    '장롱 속에서 울면서 생각해 보겠다'는 농담으로 슬쩍 넘어간 날

집게처럼 뒷걸음쳐 도망친 세상에서
그렁그렁 갑각류의 눈을 뜨면,
낮인 지, 밤인 지
깨어있는 지, 잠을 자는 지.

문을 열면,
어스름 땅거미가
먹물처럼 방안에 번지고 있었다.

고드름40)

지난 가을 연못가엔,
빨갛고, 노란 잎들 사이
햇살에 비친 초록 그림자를 밟고,
귀족(貴族) 여자가 있었는데,
무언가 팔러 나온 눈치였어요.

부끄러워 얼굴을 숙이고 있었는데,
손가락이 하얗고 길었어요.

내 마음에도 고드름이
길고 하얗게 자라났어요.

서커스를 보다가,
세상에 불려나갔어요.
돌아보지도 못하는 그 얼굴이,
길고 하얀 손가락보다 더 처량했어요.

난 슬프고 미안한 눈을 가졌어요.

---

40) 4. 14. '위대한 쇼맨'이 끝나고 조명이 밝아지기 전에 서둘러
  나가야 하는 너의 뒷모습을 본 날, 지난 가을 '자하연
  (紫霞淵) 가에서 느낀 너의 처량함

조이트로프41)

그림자는 원통 속에 갇혀,
쳇바퀴 같은 세상 속을 환영(幻影)으로 달리는데,
넌 동전투입구만큼만 실눈을 뜨고,
숨 가쁜 내 달음박질을 훔쳐볼 뿐이지.

세차게 굽을 차며 내달리지만,
잔상(殘像)만으로 지축(地軸)을 울리지 못해
영원한 제자리걸음의 운명이려니.

네 심장의 맥동(脈動)에 맞춰,
저벅저벅 쌓여가는 나의 무모(無謀).

울며 중독되는,
너의 서글픈 관음(觀淫).

---

41) 4. 16. 난 너와의 거리를 유지하기 위해 매일 '위대한 쇼
맨' 속 회전목마처럼 맴돌며 무모한 편지를 쓰고, 너도 나
와의 거리를 유지하기 위해 서글픈 마음으로 내 편지를
읽는다.

화이트노이즈[42]

한여름 장마철 마지막 비가 내리던 날에 연못에 갔어요. 비가 그쳤고, 연못을 둘러싼 나지막한 산등성이마다 하얗게 김을 뿜어 구름 테를 두르고 있어요.

태양은 구름의 커튼을 열어젖히며 빛의 화살을 천지에 쏘아대고, 저 멀리엔 무지개가 걸쳐 있네요.

연못은, 층층 겹겹의 연잎에 덮여 초록 레이스로 치장된 드레스 같고, 군데군데 분홍분홍 피어있는 것은 홍련, 하양하양 피어있는 것은 백련이죠. 미처 피지 못한 꽃대는 연두색 양초인 양 뾰족 솟아나 있고, 먼저 피었던 꽃은 이미 말벌집이 되어 씨를 품고 있어요.

연못가로는 나무데크가 지그재그로 가로놓여 있는데, 나들이 나온 사람이 없어서 산책하기 좋아요. 혹시 몰라 우산은 하나만 접어들고 데크를 함께 걸어요.

당신은 몇 걸음 앞질러 가면서 이런 저런 이야기를 하다가 날 돌아보기도 하고, 괜히 한 바퀴 돌기도 하고, 몇 발자국 먼저 뛰어가 물가에 무언가를 바라보다가 뒤돌아보며 나를 기다려요. 난 당신 모습을 눈에 담고, 당신의 말을 귀로 모으면서 접힌 우산을 걸음에 맞춰

---

42) 4. 25. 소나기 오는 날에 너하고 연못에 가보고 싶다는 상상을 한 날

지팡이처럼 앞뒤로 흔들거나, 데크를 콩콩 쥐어박기도 하죠.

발걸음 소리 가까워지면, 개구리들은 앞 다투어 물속으로 첨벙 첨벙 뛰어들어 숨었다가 저 만치 커다란 연잎 밑에서 눈과 코만 빼꼼 내놓고 우리를 노려보네요.

갑자기 비가 쏟아져요. 구름은 남은 한 방울의 비라도 후련하게 털어내려는 것 같았어요. 급히 우산을 펴고 그 아래에서 우린 팔짱을 껴요. 커다란 빗소리로 꽉 차버린 세상에는 어떤 소음도 도드라지지 않아 오히려 조용해요.

우산에 튕긴 빗방울은 연잎이 받고, 연잎에 튕긴 빗방울은 우리 신발과 바지를 적셔요. 세찬 비는 우산을 뚫고 우리 머리로 물방울을 튀기고, 한쪽 어깨를 적신 빗물은 등으로 가슴으로 흘러요. 난 팔짱을 풀고 당신 허리를 감아요. 내 팔이 따뜻한가요.

거기엔 우리 둘만 있고, 커다란 빗소리가 만들어내는 화이트노이즈로 꽉 차버린 세상 속 모든 소음은 흔적도 없이 녹아서 사라져요. 하얗게 덮은 비의 장막은 세상으로부터 우리를 온전히 가려주어요.

거기서, 난 당신의 눈이 무엇을 보고 있는 지 가만히 들여다볼 거예요. 다물고 있던 당신 입술이 떨어지는 소리가 들릴 때 내 눈에서도 소나기가 울컥 쏟아져요.

이무기[43)

달무리 진 밤에 너 그리워, 무모하게 솟구치려다 스러지고 깨어난 아침엔, 어김없이 비가 내리고 있었어.

비를 달래려다가 오히려 더 큰 울음이 터지면, 넌 무지개로 내 얼굴을 토닥토닥 닦아주었고, 내 몸엔 한 장의 비늘이 돋았지.

비늘이 빈틈없이 내 몸을 감싸면 깃털로 변해서 아무 곳이나 날아갈 수 있을 것 같은 데, 내가 용(龍)이 되어 네게 날아갈 날이 정말 있을까.

---

43) 4. 25. 술 취한 귀갓길

쟁기질[44)

게으른 소는 민무늬 유리구슬 같이 계획 없는 눈을 뒤룩거리며, 지나간 일을 우물우물 뒤적여 맛을 되새기다가, 채근질에 느릿느릿 걸음을 옮겼다.

쟁기질하고 지나간 고랑과 둔덕엔, 지난 가을 미처 거두지 못한 이삭이 어긴 약속처럼 나뒹굴었다.

봄비의 채찍을 맞고 철이 든 나는, 호미처럼 째진 눈으로 기억 속 이랑을 한 줄씩 헤집으며, 아직 썩지 않고 기다리는 낱알 한 톨을 주워 입김을 불고는, 마음에 심는다.

---

44) 23. 4. 26. 내가 깨뜨렸던 언약이 떠올라

초롱꽃45)

할미하고 살아요.
할미는 꼬부랑
돌아가실 궁리만 하는 듯
흙만 바라봐요.

벌과 나비는 자꾸 말을 걸어요.
내 가슴 매일 조금씩 부푸는데
바람은 흔들며 내 얼굴 보여 달래요.

활짝 반겨 맞을 팔자가 아닌 걸요.
엄마, 아빠는 본 적도 없어요.
향기는 오므려서 간직해 두었죠.
고개 숙인 건 수줍어서가 아니에요.

언젠가 어느 날
어떤 이가 날 찾아 올 거예요.

낮에도 캄캄해서 난 불을 밝혀요.
그이에게만 보이는 작은 초롱으로.

---

45) 4. 28. 그늘 밑 벤치에 앉았다가 초롱꽃을 본 날. 외롭고
예쁜 꽃이 활짝 웃지 못하고 고개를 숙인 것은 어떤 마음의
짐 때문일까, 밝은 대낮인데 초롱을 들고 있는 이유가
뭘까 생각한 날

나중에[46]

미루고 미루고,
어기고 또 어기고,
속고 다시 속아도,
그냥 믿어지는 말.

연인의 말.
"나중에"

---

[46] 4. 28. '초롱꽃' 제목 맞추었다고 상을 달라고 해서 나중에
주겠다고 했더니, '나중에'라는 말로 글을 지어보라고 한 날

광대[47]

넌 내게 온 세상이어서 너 하나만 놀려도,
난 이 세상을 다 가진 광대이자 왕인 거지.
거지가 왕이 된 거지. 넌 내게 온 세상이라서.

---

[47] 5. 11. 너와의 대화는 늘 재밌어. 널 놀리는 건 더 재밌고.

미류나무[48]

미류나무는 미국(美國)에서 수입된 버드나무라서 미류
(美柳)나무인데, 미루나무라고도 불리지요.

과거엔, 흙먼지 날리는 길가에 멀대 같이 길쭉한
모습으로 흔하게 나래비(ならび) 서 있던 나무예요.
다른 나무와 비바람을 똑같이 맞았지만, 아픈 사연은
하나도 없는 듯이 혼자서 숙맥(菽麥) 같이 길쭉하게
웃자란 나무인데, 어느새 내 애인이 되었어요.

좁은 길들이 넓어지고 황톳길이 포장되면서 하나둘
뽑혀나가 이젠 보기 어려워요. 얼마 전 택시타고 올림픽
대로를 가다가 샛길로 벗어나는 인터체인지 가운데
미류나무 몇 그루가 심어져있는 것을 보았어요. 깜짝
놀라 사진을 찍으려고 했는데 그만 지나가버리고 말았
어요. 어딘지 정확히 몰라요. 난 내 애인이 늘 그리워요.

미류나무가 어디 있는지 조각구름이 알고 있을까요.
착한 새들이 다리 아픈 구름에게 빈자리를 내어주고 낮은
가지에만 앉아서 지저귄다는데, 새들에게 물어볼까요.

미류나무는 키가 커서 멀리 볼 수 있을 텐데, 왜 내게
손짓을 하지 않을까요.

---

48) 5. 9. 멀대같은 미류나무가 내게 말했다, "같이 미루나무
해요. 우린 맨날 미루잖아."

난 아주 잠깐 있다가 사라지는 조각구름이 돼서라도
멀대같고 목석같은 내 애인의 어깨에 앉아서 놀고 싶어요.

사실은 함께 살고 싶어요.

발사믹 겔49)

내 마음이 끓어 넘치려고 할 때는,
우뭇가사리 빻은 가루를 한 수저 떠서,
마른입에 털어 넣고 억지로 삼켜야지.

가슴을 탕탕치며 기침을 하다보면,
눈에서 점액이 샘솟을 거야.

차가운 네 가슴에 갸름하게 떨어져서
동글동글 응어리지면,
넌 조물딱거리며 놀다가 해질녘 집에 돌아가겠지.

난 동글동글 나뒹굴 거야
떼굴떼굴 울면서 너를 따라갈 테야.

---

49) 5. 11. 네가 우뭇가사리로 만들었다는 동글말랑한 알갱이
　　같은 이상한 먹거리

올가미50)

올가미를 만들어
연인의 목을 얽어 매
남들은 모두 궁금해 할 걸
예쁜 목걸이
어디서 샀니?

---

50) 5. 12. 너를 붙들어 매두어야 겠다고, 붓글씨로 써서 사진
    찍어 보내주었더니 네가 몹시 좋아해서 으쓱했던 날

커피를 천천히 먹는 이유[51]

다 마시면 털고 일어나
또 헤어져야 하니까.

아껴 마셔야 하는
가난한 연인

---

51) 5. 13. 고작 만나서 커피나 마시고 헤어지는 관계

잉어[52]

꿈처럼 어사무사한 유년의 기억이다.

어느 저수지 어느 구석에 나룻배를 멈춘 그 아저씨는, 그물을 들어 올리더니 나 보다 더 큰 잉어를 건졌다.

동그란 입을 뻐끔거리는 잉어를 내 코앞에 들이대면서, 등지느러미를 잘 보라고 했다. 등지느러미 사이사이엔 여러 개의 세로 살이 버티고 있는데, 그 중 맨 앞의 살 하나가 가시같이 억세고 오톨도톨한 톱니가 나 있었다.

그 아저씨는 실패를 꺼내 몇 아름의 실을 풀어 이로 끊고는, 한 쪽 끝은 배에 붙들어 매고, 다른 한 쪽 끝으로 등지느러미 가장 억센 가시를 묶은 다음, 잉어를 물속에 던져 넣었다.

펄펄 뛰던 잉어는, 코가 꿰여 간장을 질리게 맛본 수송아지처럼, 운명에 순응(順應)하는 듯이 처연하고 엄전하게 배를 따라 헤엄을 쳤다.

밧줄에 묶인 모가지가 위로 당겨진 사이, 철없이 양양하기만 했던 내 코에 코뚜레가 꿰인 게 언제였을까. 엉덩이에 뿔이 나지 않은 게 그 덕일까.

내 억센 지느러미엔 몇 가닥의 고삐가 꿰어져 있을까.

---

52) 5. 14. 문득 떠오른 기억이다. 어딘지, 누구와 함께 갔는지, 그 아저씨는 누구인지도 기억나지 않는다. 내가 누군지 모르겠다.

수줍음53)

눈은 하룻밤 사이 온 세상의 눈을 가려주었고,

담쟁이도 며칠 동안 초록 커튼을 쳐주었는데,

부끄러운 우린, 그 속에서 얼마나 가까워졌나.

내 이야기 귀 기울이던 눈은 녹은 지 오래고,

네 귀에 속삭이던 꽃도 벌써 시들었지만,

수줍은 우린, 여전히 어린 싹으로 움트고 있는 중.

---

53) 5. 15. 마주보지 않고, 나란히 앉고 싶은 날

향기를 전하는 방법54)

언젠가 풍겨온 너의 향기는, 휘산(揮散)되어 마르지 않고 내 세상 어느 모퉁이에도 흠뻑 배어들어 응결되었던 것인지, 어딜 가든 내 코끝에선 네가 웃고 있었어.

아니, 내가 너를 잊지 않으려 마음에 작은 샘을 파서 너의 향을 모아두었던 거야. 가끔 마음이 조여들며 뻐근했던 것은 기억의 샘이 네 향을 짜서 뿜어 올리느라 그랬던 것 같아.

향기는 넓게 풍기면서 점차 옅어지는 것이라서, 향기를 일부러 전할 수는 없을 거야. 향기는 연인 마음으로 옮겨가 영원히 거기서 맴도는 것일 뿐.

---

54) 5. 18. 편지 쓸 주제라도 정해달라고 부탁했더니, 3. 26. 너는 '향기를 전하는 방법'에 대해서 써보라고 했지. 한 자도 못쓰다가, 한 숨에 써 내고 칭찬받은 날.

머릿속의 뱀[55]

내 머릿속 어딘가에 자리 잡고 있는 네 생각이 기지개를 켜면, 그건 뱀처럼 점점 가늘고 길어져 스멀거리며 온 몸 모세혈관 말단까지 후벼 파고들어 전신을 꽉 채우는데, 그럴 때 내 피부는 오색으로 찬란하게 물들고, 심장에 뭉친 열은 약 오른 용처럼 뒤틀며 목구멍으로 치밀어 오르고, 팔다리는 절인 오이처럼 나른해지고, 텅 빈 머리는 둥글고 납작한 물레가 되고, 난 그 위에 너의 기억 덩어리를 올리지.

나는 화난 사람처럼 얼굴이 빨개져서, 밥도 굶고 물도 마시지 않고 오로지 생각만으로 물레를 뱅글뱅글 휘돌리며 네게 전할 마음을 담을 말그릇을 빚다보면, 어지러움에 취한 내 입에서 동글동글한 말이 구슬처럼 굴러 떨어지고, 끈적거리는 땀이 미끄럽게 흘러 변치 않는 유약으로 빛을 내다가 결국 깨어져 흩어지지.

아무래도 내 머릿속엔 네 생각이 살면서 나를 자꾸만 조종(操縱)하는 것 같아.

---

55) 5. 18. 네 생각에 나른해져서 커피 사러 나간 날

어느 아침 인사56)

계곡물에 헹구어 쥐어짜서 탈탈 흔든 하얀 수건 같은 공기가 살갗의 열을 식혀주는 아침!

누가 있어, 내 가슴속 꽈리 밑바닥에 엉긴 화의 앙금을, 내 머릿속 주름 사이에 속속 끼어있는 낡은 생각의 이끼를, 귓구멍 속에 들러붙은 지저분한 충고의 곱을 이쑤시개나 면봉 같은 걸로 살살 파내주면 홀가분할 것 같은 아침!

박경리의 생전 인터뷰를 귀로 들으며 눈을 감고 생명을 생각하다가 다시 잠들고 싶어진 굳모닝!

---

56) 5. 21. 네가 권해준 박경리의 '토지'를 열심히 읽던 아침 인사

갈대청[57]

난 어쩌다가 산전도 수전도 안 겪은 철딱서니 애기랑 좋아져서, 난 벌써 스무 살도 넘었는데, 내가 매일 웃으니까 내 속도 그리 마냥인 줄 알고 소꿉장난이나 하고 헤어지고.

피리소리 애절한 연유를 나도 배우고 싶어서, 술을 한 병 사들고 피리 만드는 장인을 찾아가서 물어보니까, 피리 구멍에 용도가 다 달라서 청공이라는 구멍이 따로 있는데, 거기에 갈대청을 붙이면 그게 파르르 떨면서 피리소리가 굽이굽이 청승맞게 마음을 흔드는 거라고.

그래서, 난 저녁 무렵 강가를 혼자 찾아가 참한 갈대를 몇 대 꺾어다가, 문고리 걸어 잠그고 등불 밑에 쭈그리고 앉아, 갈대를 부러뜨려 한 손에 잡고 주머니칼을 꼼지락거려 하얗고 얇게 비치는 갈대청을 발라냈는데, 그게 꼭 명주 속곳 같아.

어지간히 다 큰 게 개울가에 퍼져 앉아 돌멩이 집어던질 때 치마 속으로 살짝 본 적이 있었는데, 정신이 아득했었지.

---

57) 5. 22. 소감을 정리해서 이야기해 달랬더니만, "오빠야. 내 맴 속에서 나비랑 매미랑 막 쌈박질한다. 날갯짓하네 반말하네 하면서 싸우는 게 참말로 6. 25. 난리는 난리도 아니다. 내 누구 편 들어야하겠나? 하이고 오빠라고 있는 게 꼭 청개구리마냥 들은 둥 만 둥 눈만 멀뚱멀뚱 꿈벅꿈벅하고 있네…"라고 해서 보람 있던 날.

하여튼, 난 쇠마치로 바늘 끝을 톡톡 때려 그 뾰족했던 끝을 납작한 일자로 만든 다음, 숫돌에 슥삭슥삭 갈아 아주 작은 끌을 만들고, 좁쌀 중에 제일 작은 놈을 골라 그 가운데에 일자 끌을 대고, 엄지 검지로 뱅글뱅글 돌리며 좁쌀 속을 파내고 호호 불어서, 호리병 같기고 하고 종지 같기도 한 좁쌀 그릇을 만들었는데, 거기 대고 내가 '아~' 소리를 내니까, '앙~' 하고 작은 메아리가 들리는 거야.

이젠 됐다 싶어서 거기 대고 내 하고 싶은 말을 막 쏟아놓고는 갈대청으로 그 입구를 얼른 봉했지. 그러고 나서 그걸 귀를 대보니까, 내가 했던 말들이 그 안에서 구슬픈 노랫가락이 되어 이리 부딪히고 저리 부딪히는 거야.

그리고 며칠이 흘러서 밤에 애기 꿈을 꾸는데, 어디서 모기소리 같은 게 귀에 들려서 내 손바닥으로 내 따귀를 이리 올려 부치고 저리 올려 부쳐 '엥~' 소리가 끊이지 않아. 알고 보니 모기 소리가 아니라, 좁쌀 호리병에서 나는 소리였던 거지.

그 후에 뭘 알게 되었냐면, 애기 그리워서 내 마음이 '찌르르' 하면, 좁쌀 호리병이 '찌르렁' 따라 우는데, 갈대청이 그걸 받아서 파르르 떨면 '쪼롱 쪼롱 쓰름 쓰름' 소리가 울려나오고 있었던 거야. 이게 무슨 조화 속일까.

난 이걸 철딱서니 애기 밥에다가 몰래 숨겨 넣었지.

"오빠야. 어제부터 내 맴 속에 매미가 들어와 사는 지 밤낮없이 찌르렁 찌르렁 쓰르렁 쓰르렁 하루도 쉬질 않는데, 이상하게 오빠야 보면 소리가 더 커진다. 귀청이 떨어지기 전에 내 맴이 먼저 떨어져 나가는 것 같다."

'애기야. 아무리 울고불고 해봐라. 비싼 술 사주고 알아 낸 건데, 내가 빼주나.'

유월[58)

봄에 훌쩍 떠났던 마른 바람
쌉쌀한 풀내음에 흠씬 젖어 돌아와,
미지근 촉촉한 숨으로 뺨을 부비며
미안해요!

미류나무는 건들건들,
가지 끝 조각구름
손수건처럼 털어 던지며.
괜찮아요!

달밤엔, 개구리들
울며불며, 울며불며.
무리지어 주문을 왼다.
헤어지지 말라고.

달무리 그렁그렁 매달리고,
옹달샘 옴죽옴죽 목이 마르면,
서러움이 터지듯
왈칵! 왈칵! 소나기가 쏟아질 거야.
뜨거운 날이 곧 올 거야.

이제. 유월이야.

---

58) 6. 5. 너 같은 미루나무를 보고, 나 같은 개구리 소리를
들은 날

연애[59]

연애(戀愛)는, 그리워하는 사랑.
몸부림치는 달콤한 노고(勞苦).
담그지 못해 더 뜨거운 샘.

넌

손에 쥐일 것 같은 인형(人形)
움켜쥐지 못하는 꽃
들이키지 못하는 향
베어 물지 못하는 과일

들어가지 못하는 틈
따라가지 못하는 구름
건너지 못하는 무지개
꿈이고, 연기(煙氣)이고 아지랑이.

천천히 핥아도 금방 줄어드는,
슬픈 감로(甘露).

---

59) 6. 12. 애가 타서 더 달콤한 것이라고 생각

죄60)

옥황상제 딸이라도 탐했던가.
벌 받아서 식물 같은 연인이 된 건가.

마른 흙 속 꼼지락 더듬고,
야문 바위를 에둘러야,
여린 뿌리 닿을까 말까.

마디마디 뼈빠지게
기지개 켜봐야,
가지 끝이라도 스칠까 말까.

토해버리는 숨이나 주워,
향기나 가루 따위 실어 보내는 건데.

식물보다 못한 연인들에게도 죄를 물을까.

---

60) 6. 17. 정서적인 것

아픔의 무늬[61]

길고 깊게 찢겼던 거구나.
낫는 동안, 혼자 깊이 신음한 밤이 많았겠어.

용케 아물어 붙는 어느 언저리,
여기가 아픈 건지, 아니면 저기가 가려운 건지,
뒤죽박죽 종잡을 수 없던 날이 길었을 거고.

발갛게 성내고 부풀어 남은 흉터는,
건드리면 발끈 화를 냈을 거야.

일부러 드러낼 것은 아니지만,
감추는 것 같아 불편했고,
내비칠까봐 조심해야 했겠지.

붓기도 가라앉고,
성난 빛도 가라앉고,
아프지도 않지만,
거울에 비친 모습 측은해 보일 때가 있었을 거야.

---

61) 6. 28. 네 앞가슴, 내 등에 흉터는 모양이 다르겠지. 하
지만 마음의 상처는 펼친그림처럼 똑같을 껄

내 몸에도 길고 하얗게 아문 흔적이 있어.
우리 이별이 긋고 지나간 바로 거기.
데칼코마니 같은 예쁜 무늬 하나씩 나누어 가졌지.

쟁기질 2[62)

깊은 산 속에 들어가자.

곡식 가꿀 기름기라곤 없어,
다른 사람은 들어가지 않은 땅.

아까시 덤불 우거져,
소도 들어가지 않는 골.

난 멍에를 짊어진 두 발 짐승.
코뚜레가 없어서 흙냄새를 잘 맡으니까,
낭떠러지 옆 좁은 흙을 반드시 찾아내 식식거리면,

넌 너울 모자를 쓰고,
내게 쟁기를 걸고 사뿐사뿐 따라와.

바위는 피하고, 자갈은 발라내고,
내 손톱을 빨갛게 뽑아
네 쟁기 끝에 보습으로 달아줄 게.

---

62) 7. 3. 기껏 한다는 소리가 '두 발 짐승이 맞냐? 상상이
잘 안 된다.'고 해서 '내가 소 역할'이라고 했더니, '그럼
두 발로 걷는 데 역할이 소인 거냐'고 헛김 빠지는 소리
를 한 날

우리 거기 씨앗 하나를 심고 내려오자.
멍에도 쟁기도 다 버리고 내려오자.

옹달샘을 만나면,
네가 먼저 말갛게 씻고,
난 백태 낀 분홍 혀로 목을 축이고,
그렁그렁 착한 눈으로 널 바라보면,
목덜미를 끌어안고 등을 토닥여줘.

싹이 트고,
시달린 가지는 울퉁불퉁,
뿌리는 바위를 껴안아 하나가 되면서,
비할 데 없이 높은 나무로 자랄 거야.

금강송, 정이품송도
머리를 조아릴 거야.

우리. 깊은 산 속으로 들어가자.

회귀(回歸)[63]

도랑도랑 흐르는 물보다
모래가 앞서 구르는 모래강.

금모래는 황어알, 은모래는 은어알.
상처투성이 몸으로 다시 만나 죽음과 바꾸었던,
깊은 산골 차갑던 물 속, 단 한 번 뜨거웠던 사랑.

난 거기 두 발을 담그고 서서,
가난한 나를 위해 기도를 하면,
인색한 적선(積善)처럼,
하나 둘 발등에 쌓이는 네 모래알.

아니.

너의 냄새가 목소리처럼 손짓처럼,
강을 거슬러 나를 자꾸만 저 산골로 이끌고,
안개 같은 현기증이 머릿속을 휘저을 때,
난 강에 벌렁 나자빠져 차라리 숨을 쉬지 않을래.

---

63) 7. 6. 네가 지하철 무섬마을 광고사진 보내줘서, 언젠가
    끼적이다가 그만 두었던 글을 완성

아가미가 빨갛게 패이고, 지느러미가 돋아나
오로지 네 숨의 냄새만 좇아, 거기에 코를 처박아,
여울에 배가 까지고 바위에 어깨가 벗겨져
낭떠러지에 쑤셔 박혀 대가리가 깨어져.

그렇게, 갑옷도 투구도 벗겨진
상처투성이 물고기로
너를 만날 거야.

부르르 전율하는 몸으로.

칠월[64]

칠월의 둥근 하늘은,
검정 치마 낮게 두르고
잔뜩 부풀어
무겁게 출렁이는 물풍선.

칠월, 동그란 네 눈 속
하얀 물거품 아래 파랑(波浪)이 일렁이고,
조그만 돛 팔락이며,
까딱까딱 혼자 항해하는 나.

몰래 거스르는 길 위에서, 우린.
입술 대신 눈으로 속삭여야 하는 벙어리,
눈으로만 들어야 하는 귀머거리,
눈으로만 널 만질 수 있는,
난.
밤마다 너를 상사(相思)해.

그리움이 샘솟아,
내 눈이 뭉클,

---

64) 7. 10. 네가 제목을 던져주었고, 난 폭풍우를 기다리며 편
   지를 썼지

널 더 이상 담아내지 못하면,

드디어! 칠월의 서러움은,
농익은 홍시 터지듯 소나기로 쏟아지며,
회색커튼을 아주 잠깐 드리울 건데,

우린.
인적(人跡) 끊어진 그 장막(帳幕) 속으로
얼른 들어가자.

꼭 껴안아 가슴 맞대고,
뺨만 부비며 숨 죽여 기다리다가,
온 세상 무너뜨릴 듯 천둥이 때릴 때,
내 입술을 열어 하고 싶은 말을 속삭이고,
네 아픈 신음을 내 귀로 듣고 말 거야.

왈칵 눈물이 쏟아지면
하얗게 닦아줘.

먼 하늘이 파랗게 개이고,
우리 가슴 속에 비밀스런 이야기 한 줄.
뿌듯한 무지개로 피어날 거야.

실[65)

굵고 둔한 손끝으로,
더듬는다.

철없는 칼에 잘려나간 그 실은,
어느 실패에 감겼을까.
화려한 연(鳶)을 따라 올라가,
재미있는 온갖 구경에 빠져 있을까.
예쁜 아이의 분홍 뺨을 감싸는
목도리가 되었을까.

난 엉킨 실타래 같은 마음을 이제 펼치고 앉아,
그 앞에 눈을 감고,
손가락 끝에 침을 발라가며,
더듬는다.

이젠 실마리로 삼아야 할,
그 잘린 흉터를,
엄지 검지 끝을 비벼 기도를 하듯,

---

65) 7. 16. 시인 목석(木石)이 지은 "멀리선 맘 졸이고, 가까
이선 맘 놓이고, 가까이선 맘 졸이고, 멀리선 맘 놓이고,
아! 이러니 몰래 하는 건 어려운 건가봐."라는 편지에
대해 무슨 말인지도 모르고 화답하여 쓴 날

더듬어 찾는다.

잘린 곳 맞대고,
고백의 질긴 실로 옹쳐서
풀리지 않은 매듭을 만들자.

멀리서 맘 졸이던 부엉이 두 마리.
말랑하고 촉촉하고 따뜻한 혀를 맞추고
달콤한 고백을 섞어 매듭을 만드는 밤.

그들도 마음 졸일까?

하얀 밤66)

밤은 세상의 반쪽이어서,
밤에도 꽃은 피어요.

색깔보다 더 화사(華奢)한 향기가,
화사(花蛇)처럼 코에 스며들어 속삭이고,
개구리들 와글와글 들쑤시면,
난 오랜 잠에서 문득 깨어난 소년

꽃봉오리 맺힌 몸으로,
홑이불 달빛은 맨발로 걷어차 버리고,
하얀 별 만발한 하늘로 마구 달려가,
가장 깊고 아름다운 굴을 찾아 기어들면,

거기에, 환하게 웃음 밝히는 네가 있을까.

거기서, 하얀 그림자 둘은,
아무도 모르게
투명한 꽃을 피울 수 있을까.

---

66) 7. 21. 모든 공식적인 일정에 양보해야 하는 우리 일정을
위로하며

봉숭아⁶⁷⁾

소나기 그친 도서관 계단 옆에
물음표처럼 고개 숙인 봉숭아가
곁눈으로 보며 말을 걸었다.

우린 서로 사랑하나요.

응시하며 생각했다.

네겐 물방울이 맺혀 있잖아.
기쁨같이 탱글탱글하고,
슬픔처럼 몽롱하고 영롱해서,
손아귀에 꼭 쥐고 싶은데.

손대면, 때굴 굴러
네게서 똑! 떨어져,
금방 깨어질 것 같잖아.

봉숭아는 고개를 들고,
바로 쳐다보며 말했다.

당신은 황홀하고 두려워요.

---

67) 7. 24. 네가 나한테 널 좋아하느냐고 처음 물은 날은 7. 23.

장마가 지나가고,
따가운 햇살이 지나간 날.

그곳에 다시 서서,
소나기 그쳤던 옛날에 삼켰던 말을 떠올리며
허! 허! 달랬어요.

가슴 한복판이 톡! 터져 갈라지면서,
때늦은 사랑의 말이
시꺼먼 울혈(鬱血)처럼
낭자하게 쏟아지고 천지사방에 튀어서.

어쩔 줄 몰라요.

범죄도시[68]

아. 여기가 어디지.

긴 봄꿈에 지친 나비는,
어둠을 끌어올려 얼굴까지 덮었다.
날개는 벗어두고, 더듬이는 안으로 접어
제 가슴 토닥토닥 두드려
수면(睡眠) 속으로 가라앉더니,
선잠 깨어난 기지개 같은 말을 흘렸다.

나비의 엷은 잠꼬대에,
난 쫑긋 눈을 떴다.

그래. 여긴 어디지요.

반짝이는 은막(銀幕).
어느 세상으로 열린 창문인가.
난 저 너머 어떤 허황(虛荒)을 쫓다가 지쳐
여기 꾸벅 잠든 걸까.

누구신가요.

---

[68] 7. 24. 네가 했던 말을 기억하고 제목을 지은 날

낯설지만 본 듯한 당신은,
어디였을까요.
그 시절은 언제일까요.

언젠가 어디선가 손 놓던 날에
어디서든 무엇으로든
다시 만나자 약속했던 일 없었나요.

8월[69)]

소나기 그치고 하늘은 쨍쨍거리는데,
내 가슴엔 고작,
풋 모과 하나 매달렸어요.

조그만 게 아무한테나 불뚝거리고,
샛초록한 표정마저 떨떠름해요.

해가 뉘엿뉘엿 말했어요.
"동그란 건 멋진 게 아니야.
곧 노랗게 영글면,
새콤달콤한 향까지 머금게 될 거야."

한차례 태풍에 낙과(落果)되지 않도록!
툭! 떨어지는 건 너무 서운한 거.

길어진 내 그림자가 당신께 말해요.

"조금만 기다려봐. 곧 가을이야,
내 심장이 아주 예뻐질 거야."

---

69) 8. 1. 난 '내가 늘 불뚝거리고 떨떠름한 모과 같지 않느
냐'고 묻고, 넌 '늘 그렇진 않고 만났을 땐 다정하다'고
대답한 날

반지[70]

무너진 콘크리트에 익숙한 귀뚜라미는,
들썩이는 두려움을 긴 촉수로 다독였다.
"어두워도 세상이에요"

고양이 한 마리,
동그랗게 열린 눈동자가 흔들렸다.
"길을 잃을 것 같아요."

암흑보다도 그윽한 그 동그란 우물에,
귀뚜라미는 몸을 담그고 싶어져서,
스릅스릅 속삭였다.

"소슬(蕭瑟)바람 부는 밤에,
사각사각 갈잎을 함께 밟아요.
손깍지 끼고 둥근 달을 바라보다가
부푸는 마음 따라 둥실 떠오르면,
저기 뒤편 방앗간에 함께 가요."

털을 고르는 척 고양이가 머리를 끄덕였다.

---

70) 8. 23. 그 전에 소슬바람 아래 5줄을 캘리그래프로 써서
    사진찍어 보내주었는데, 그걸 액자식으로 안에 끼워넣었다.

귀뚜라미는 고양이의 발가락 하나를 핥아,
지워지지 않을 반지를 둘러주었다.

마지막 여름비가 내리는 날이었다.

여름 끝자락[71]

팔걸이 없는 가공삭도(架空索道)를 함께 타고,
두 칸 정도 이가 빠진 징검다리 건너뛰고,

잘못 접어든 오솔길에 해가 저물면,
잔가지 꺾고 갈잎 모아 네 잠자리 만들어주고,

난.

뚝 떨어진 시냇가 바위 위로 물러나 앉아,
하모니카 꺼내 쿵작쿵작 불어대면,
여우가 따라서 무섭게 울어주는,

오들오들 야한 밤.

---

71) 8. 25. 쓸데없이 하모니카는 왜 가져와서 불어대는 거냐고?
글쎄.

양초72)

그리움 굳어진 끝엔
벌거벗은 꽃잎만 갸냘픈 춤을 추고,
너 다가오는가.
초롱한 심지도 그림자로 바스러진다.

엉킨 머리 찬찬히 훑어 말을 찾고,
벌처럼 쏘다닌 하루를 다 뒤집어도,
네게 줄 아무 것 하나,
줍지도 훔치지도 못한,
빈손의 야윈 밤.

하루는 연기로 흩어지고,
기억은 안개처럼 길을 잃고,
이유마저 잊어버린 내 눈물만
농으로 다시 엉겨
그리움으로 다시 굳어지는 밤.

너 보고 싶은 이 밤.

---

72) 8. 31. 왔다가 그냥 갈 뻔했던 날. 저 멀리 달구경한 날

세모나라[73]

둥근 하늘 밑 네모진 땅 어디도
맨발의 사람에겐 설자리 없어,
떠밀리다 빗겨든 세모난 구석.

흙바람 부는 휘파람 속에,
황량함만 무성한
외면의 땅.

누더기 같은 하늘 밑으로
도망쳐 온 우리는,
세상이 찾지 못하는 여기
어떤 비밀을 심고 거두려하나.

돌이든, 쇠든, 풀이든,
모든 귀한 종자는
척박(瘠薄)을 먹고 크는 것.

언제 하루라도 세상이 뒤집어져
밖이 안이 되고,
안에가 밖이 되면,

---

[73] 9. 14. 세모에 함께 선 날

우린 노예도 시종도 없는 왕과 왕비가 되어
소리치고,
깔깔 웃고
펄펄 뛰고
훨훨 날 텐데.

세모나라는
너와 내가 함께 사는 곳.

10월[74]

10월은 뒤에서 선득 다가온 바람.

움츠린 어깨를 툭 치고
추억을 낚아채서 휘익 달아나.

잡힐 듯 잡힐 듯
팔랑팔랑 뒤돌아보며,
내 일기 한 장씩 들추며 웃지.

처음 만난 날 네 옷과 구두가 어떤 모양이었는지,
헤어지던 날 눈보라가 어떻게 날렸는지,
해 저물던 동해 마을 네 얼굴이 얼마나 빨갰는지.

난 부끄러워 손사래 치며,
내 비밀을 크게 외치는 시월의 소리를
남 이야기처럼 듣다가
아무데나 풀썩 주저앉았어요.

---

74) 10. 27. 시월이 가기 전에 택시 안에서 서둘러 하나 쓴 날.
　　이틀 후 도란도란 화들짝한 일로 인해 날 원망하며 우
　　스꽝스런 표정을 보였지

하늘이나, 나뭇잎이나,
비늘 같은 강물이나,
시월 짓궂은 바람결 사이에나,
넓고 좁은 모든 빈 곳마다
네 이름만 빽빽이 씌어져있는 걸.

나른하니 눈 감고
텅 빈 마음, 야윈 얼굴 낙엽으로 덮고,
꿈꾸는 척,
나란히 누워보는 시월.

긴 꿈[75]

헤어져 돌아올 때,
마지막 너 섰던 자리를 더듬어,
표시를 박았어.

갈라진 길을 만나
이리 저리 결을 잡아 걷다가,
밤엔 마음을 펼쳐놓고 발자국을 더듬었지.

행로는 굽이굽이 강줄기로 뻗었는데,
바위는 기슭마다 너처럼 서있고,
새는 너처럼 울고,
꽃은 너처럼 피고,
구름은 너처럼 흐르고,
별은 너처럼 가물거렸지.

부엉이와, 호수와 달과,
석양과 단풍과,
세상 가득한 닮은 것들을 볼 때마다,
눈에서 흘러내리는 색깔들을

---

75) 11. 1. "꿈이 아닌 것 같다고 하니 진짜 꿈 같아요."라고
네가 말한 날

검지로 훔쳐
널 가슴에 그렸어.

널 만지고 싶으면,
가슴 조각보를 펼쳐
예쁜 것 하나씩 짚어 거슬러
너 섰던 자리에 손바닥을 대보았지.

그러다가, 잠에서 깨어나면,
또 이리 저리 길을 걸었어.

이번 꿈은 길어서 좋아.
꼭 꿈이 아닌 것 같아.

꿈76)

약한 짐승
콩콩 뛰는 작은 가슴은
용암(鎔巖)을 끓이진 못해
미지근한 빨간 샘물만
퐁퐁 퍼 올리지.

눈 뜬 세상은 무서운 곳
두리번거려야 하는 내 눈이
네 눈을 들여다본 게
언제일까.

쫑긋 올린 귀는
수런거리는 소리 하나도
놓쳐선 안 돼
네 속삭임을 들은 게
언제일까.

하지만 눈 감으면,
하나도 무섭지 않은 세상.

---

76) 11. 17. 네가 꿈에서 나를 오래 봤다고 해서 네 꿈 이야기
    듣고 싶었는데, 못 들은 날.

거기서,
뜨겁게 열린 눈동자로 널 초대해서,
말이 아니라 몸을 들으며,
따뜻한 샘물을 함께 마셨다.

11월[77]

가을은 손님처럼 떠났다.

다정한 이별의 말 대신
꽃값(花代)으로 던져진 지폐 같은
단풍잎, 은행잎, 갈잎만
무정(無情)한 주차장 바닥에 나뒹굴었다.

깨끗한 한 장을 주워
추억 사이 갈피로 끼우려다가,
냉정한 발자국 위에 주저앉았다.

서러운 새 한마리가 내 품으로 들어왔다.

목을 뒤틀어 내 목을 감고
여윈 뺨을 부비고,
작은 부리로 내 가슴을 톡톡 쪼면서
머물고 싶다고 말했다.

양 손을 오므려

---

77) 11. 19. 카발레리아 루스티카나를 들으며 나뒹구는 낙엽을
    본 날

새의 얼굴을 꽃처럼 받치고 쓰다듬던
십일 월 어느 날이었다.

늦단풍[78]

난. 이제,
유혹할 청춘(靑春)도,
걱정할 노후(老後)도 없는,
노란 꽃.

쓸모없이 남겨진 진액(津液)을 쥐어짜
꼭대기까지 쏘아 올려,
하늘을 노랗게 물들이는 장난을 친다.

알록달록한 지붕
저마다의 오두막 안에서,
봄날의 서러움이든
여름날의 외로움이든,

---

[78] 12. 4. 몸살 걸려서 수액을 맞으면서 우리 관계에 대해
썼는데, 네가 "너무 잘 쓰셔서 약발인가?"라고 하면서,
"그래서, 생각해보니 우리는 뭐냐?"고 물었고, 나는 "우
리는 편하게 흐르는 강에 뗏목을 띄우고, 아름다운 말이
나 주고받고 예쁜 노래나 부르는 그런 관계지. 조금은
허탈한, 이 세상에 무언가를 생산해낼 수 없고, 단지 우
리 둘만의 세계에 갇히거나 숨어서 그 대신 서로에게
몰입하는, 꽃처럼 예쁘지만 꽃은 아닌, 하지만 예쁘게 피
워내는 데만 몰두할 수 있는 관계. 단풍같은 거"라고 말
한 날

옹이로 뭉친 곳 더듬어
툭툭 잘라내 한 동가리씩 사르면,
사각사각 흐느끼며
재로 하얘지는 미련(未練).

둥글게 닳아빠진 어금니로,
잘근잘근 세월을 씹어야
즙(汁)처럼 고이는 말 한 방울을
네 입술에 흘려 넣으면,

이젠 잉태(孕胎)의 수고를 떨친,
결실을 다 맺은,
넌.

온 몸을 활짝 열고
세상을 발갛게 물들인다.

모두 발가벗은 강에는,
탐미(耽美)만 넘쳐흐른다.

서툰 고백[79]

내 맘 가장자리 어느 모퉁이에,
흔들리는 가로등 아래 길고양이 같은 내 비밀은,
깜빡깜빡 훔쳐보다가 덜컥! 사랑한다고 말했어요.

골 깊은 개울가 맑은 물이 씻고 핥는 곳,
데굴데굴 모래 사이 손톱처럼 박힌 조개는,
뻐끔뻐끔 숨을 쉬다가 헉! 사랑한다고 말했어요.

---

79) 12. 12. 귓속말을 한 날. 넌 "서툰 고백을 이야기하는
시는, 시를 잘 쓸수록 고백이 더 서툴게 되는 그런 거요."
라며, 부조화의 미 같은 게 있다고 했는데, 무슨 뜻인지
알 듯 말 듯해.

귓속말⁸⁰⁾

난. 귀 먹은 낙타를 골라 타고,
사방팔방 주워섬길 쥐도 새도 없는,
척박한 비밀의 극단(極端)에 이르러.

난. 양 손바닥으로 귀에 고둥을 만들어,
닿지 못하는 심연(深淵)의 전설을 듣게 되어.

가눌 수 없어서.
파르르 떨리는 입술로 널 부른다.

---

80) 12. 13. 그 때 했던 말

질투[81]

넌 매일 더 예쁜 꽃으로 피고, 새로운 향으로 날 취하게 해. 네게 내려앉은 나비가 있다면, 둥글게 말린 대롱 입으로 너를 빨다가 날개는 떼어버리고 더듬이로 널 어루만지고, 저무는 햇빛을 받으며 함께 잠들고, 새벽이슬을 나누어 마시며 같이 깨어날 거야. 다른 나비도 벌도 얼씬 못하게 할 거야.

---

81) 12. 18. 점심 먹고 졸려서 대충 아무렇게나 썼는데, "달달해서 혈당수치 올라간다"고 하는 너

소리82)

부푼 가슴 창공엔
느닷없이 구름이 일어,
그리움의 포말은
부옇고 뻐근하게 온 하늘을 뒤덮어.

칼바람 가라앉히고
가슴 복판 쓸어내리면,
흐느끼던 마음은
소복소복 가라앉았어.

감은 눈꺼풀 위로
네 환영(幻影)이 찾아올 때엔,

뿌드득 뿌드득.

뒤꿈치 든 발로 새벽 눈 밟으며 오는,
가슴 시린 소리.

---

82) 12. 19. 눈 내리는 도로 위에서 널 생각한 날

겨울 동굴[83)

나는, 그 겨울 우연히 본 그곳을,
기억에 그냥 묻어두기로 하고,
살살 뒷걸음쳐 나왔지.

우리 할머니
고봉으로 퍼 담아 주신
밥사발처럼,
하얀 눈 소복하게 지붕에 이고,
성에무늬 겹창호지
꼭꼭 발라 창문 여미고,
눈바람 속 외딴 초가집 같이
견디고 있던,

겨울 자동차.
그 안.

그곳은, 오만 년 전,
첫 남자와 첫 여자가 만났다는,
푸른 빙하(氷河)의 깊은 크레바스.

---

83) 12. 21. 2003년 2월에 만났던 눈사람 자동차를 떠올리며,
   안에 들어가고 싶다는 생각이 든 날

훔쳐보는 이도, 엿듣는 이도 없어,
수사(修辭)도 욕설도 없이
밀어(蜜語)만 뚝뚝 흘러 떨어졌었다는 곳.

귓속말 들을수록 더 간지러워,
들은 말 자꾸자꾸 되묻고 싶었다는,
뭐라고요? 뭐라고?
지금도 메아리치고 있다는 곳.

부둥켜안은 알몸이
모닥불보다 더 발그레하게 타올랐다는,
눈도 코도 귀도 입술도 다 엉켜,
누가 말하고 누가 듣는 건지
구분되지 않았다는 곳.

하지만, 꿈속에서도 찾아가보지 못한,
한 번도 잊어본 적 없는,
꼭 들어가 보고 싶은,
미발굴의 유적(遺蹟).

네 갈라진 틈 속,
미답(未踏)의 아늑한 동굴.

화이트크리스마스 이브[84]

그때, 며칠 전에 함박눈 오던 날에,

네가 보고 싶어서 내가 잠깐 눈을 감고,
제일 큰 눈송이 하나를 마음으로 골라
그 위로 얼른 올라서고,
그걸 딛고 다른 눈송이로 폴짝 옮기고,
그렇게 하얀 사다리를 밟고 날쌔게 올라가서,

그 담에, 하늘 위 구름 징검다리를 건너뛰어
너 있는 데를 찾아가서,

내 애인 뭐하고 있나...
내려다보면서 웃고 돌아왔었는데.

그거 몰랐지.

---

84) 12. 24. 그냥 말 걸 듯 쓴 걸 다음 날 손 봐서 12. 25.
화이트크리스마스로 개작해서 보내줬으니까 책 만들 때
이건 뺐는데, 왜 뺐냐고 해서 다시 보니까 동일성이 거
의 유지가 안 되는 것 같아서 추가.

화이트크리스마스[85]

겨울새 언 부리 깃 속에 묻고,
밤새 울어 홀가분한 가슴.

보송보송 가벼워진 솜털처럼,
새벽 눈 속닥속닥 이야기로 내리면.

눈보다 더 다정한 꿈에 덮였던 난,
눈보다 귀를 먼저 뜨고 널 생각하는데.

눈송이 징검징검 밟고 올라,
꿈 속 그곳에 되돌아갈 수 있을까.

곤히 잠든 네 창가에 소복이 내려앉아,
촛불처럼 갸웃거리며 네 꿈으로 들어가,
네 숨소리 귀에 담고,
내 이야기 불어넣을 수 있을까.

---

[85] 12. 25. 하얀 징검다리 또 내려온 날.

처음 만난 날[86]

널 처음 만난 날. 목화송이처럼 부풀어 갈라진 가슴 복판에 하얀 솜이 뿌듯하게 피어났지. 팝콘처럼 놀란 심장이 속을 뒤집고 새하얗게 벌어졌지.

부끄러운 난, 가슴을 묶고 누르고, 여미고 저몄지만, 깃털 같은 기억이 하나 둘 해진 마음 사이로 기어이 새어 나왔고, 그걸 몰래 핥으며 너의 냄새를 떠올렸어.

오늘은 어떤 큰 가슴이 널 만나고 있는 걸까. 그는 그로 인해 얼마나 널 그리워하게 될까.

---

86) 12. 30. 또 눈이 왔다. 널 처음 만났던 날 내 마음이 떠올라서 인사를 했다. 넌 "편지 쓰기 좋은 날씨이고 편지 받기엔 더 좋은 날씨네요. 일 년을 full로 채워 만나보니... 계절 별로 월별로 24절기별로 추억이 촘촘해지는 것 같아요^^"라고 말했고, 난, "올 한해. 편지 잘 받아줘서 고마워. 너를 만나면서 책도 보고 글도 쓰고 그 외에도 새로운 경험을 하고 있어. 백지로 남겨두고 건너 뛴 시간을 기어이 채우고 싶은 마음인가 봐. 내 마음이."라고 대답했지.

날씨87)

눈 그친 하늘이 너무 맑고 포근해서 "보고 싶은 날씨"라고 아침 인사를 보냈다. 넌 '오전은 어려울 것 같다'고 했고, 난 "급하게 만나야 할 용건이 있는 건 아니니까. 편하게"라고 말했다.

넌, '그래도 한 해 마무리니까 다른 날 보다는 쬐끔 더 의미가 있지 않아?'라며 웃는 문자로 답하고는, 다시 말했다.

"오늘. 그래도 보면 좋은데. 보고 싶은데."

21년 만에 들은 너의 첫 고백이었다.

---

87) 12. 31. 2002년 넌 내게 날씨가 좋다는 인사를 자주했다. 난 내 닉네임을 '날'로 바꿨었다.